Pobi

Elliw Gwawr

yLolfa

Argraffiad cyntaf: 2014

© Hawlfraint Elliw Gwawr a'r Lolfa Cyf., 2014

Dymuna'r cyhoeddwyr gydnabod cymorth ariannol
Cyngor Llyfrau Cymru

Llun y clawr: Warren Orchard
Lluniau mewnol: Warren Orchard ac Elliw Gwawr
Dylunio: Dorry Spikes

Rhif Llyfr Rhyngwladol: 978-1-84771-925-6

Cyhoeddwyd ac argraffwyd yng Nghymru
ar bapur o goedwigoedd cynaladwy gan
Y Lolfa Cyf., Talybont, Ceredigion SY24 5HE
gwefan www.ylolfa.com
e-bost ylolfa@ylolfa.com
ffôn 01970 832 304
ffacs 832 782

Rhagair

Un o bleserau bach bywyd. Dyna ydi o. Eiliadau o euogrwydd bendigedig a boddhad pur, rhyw hiraeth hapus am blentyndod a chael bod yn nhŷ Nain ac antis clên. Y cyfan mewn cacen. Sgwn i a feddyliai'r sawl a gyfunodd flawd a siwgr ac wyau a menyn am y tro cyntaf y byddai'r arferiad o bobi ac yna bwyta'r canlyniad yn gymaint o drît? Y byddai'r pecynnau bach o nefoedd yn cynhyrchu ocheneidiau o werthfawrogiad am ganrifoedd i ddod?

Mae derbyn cacen neu dorth yn codi calon. Mae eu *rhoi* yn achlysur – yn seremoni, fentra i ddweud: prynu'r cynhwysion, y paratoi cariadus, yr amseru gofalus, yr addurno cywrain, y pecynnu… yna'r cyflwyno. I'r pobydd, does 'na ddim byd gwell na rhannu.

Ac mae'r ddefod o greu canolbwynt unrhyw de pnawn neu fore coffi yn un gyffredin i'r mwyafrif. Rydan ni i gyd wedi sefyll ar ben stôl yn gwylio mam neu dad neu nain neu bwy bynnag yn troi'r cymysgedd hufennog, trwchus, ac ar bigau'r drain wrth i ni aros ein tro i lyfu'r llwy a chrafu'r ddesgil. Yna, cyffro'r cam nesaf:

'helpu' i roi'r gybolfa felys fesul llwyaid yn y casys papur a chreu celfyddyd fodern gyda'r cytew ar gypyrddau a byrddau ac ambell waith nenfydau yn ein hawydd i greu cacen. Ac, ar ôl magu teulu, daw'r cyfle i arolygu'r gyfryw ddefod yn ein ceginau'n hunain a dotio ar y dwylo bach yn cario llond plât o gacennau tylwyth teg gydag urddas a balchder Mam y Fro a'i Chorn Hirlas cyn eu cyflwyno i aelodau disgwylgar y teulu. Gwneud cacen ydi un o'n profiadau cyntaf ni o gyflawni tasg greadigol. A pha ffordd well na phrofi hynny i gyfeiliant 'Mmm!' ac 'O!' a diolchiadau di-ri? Dydi'r profiad ddim wedi pylu acw, gyda'r g'nethod a minnau'n teimlo'r awydd yn aml i arbrofi â llwy bren neu i gadw at y ffefrynnau sydd wedi plesio teulu a ffrindiau dros y blynyddoedd.

Llun: BBC Cymru

Ac yn y llyfr hwn, mae'r dalentog a'r hyfryd Elliw Gwawr yn rhannu ei dawn a'i harbenigedd gyda ni unwaith eto. Yn dilyn llwyddiant diamau *Paned a Chacen* dyma feibl arall i'w roi ar y silff ryseitiau, i droi ato am ysbrydoliaeth a syniadau, neu jest i sbio ar y lluniau a glafoerio! Roedd ei llyfr cyntaf yn llawn syniadau gwreiddiol, gyda chyfarwyddiadau clir a manwl ynglŷn â sut i goginio a chyflwyno'r campweithiau melys. Hen ffefrynnau, ryseitiau o dramor, syniadau newydd sbon, i gyd yn eistedd yn hapus rhwng y cloriau i'n hannog i'w trio. A jest pan oeddech chi'n meddwl ei bod hi'n saff mynd 'nôl i mewn i'r gegin… dyma un arall! A phleser pur ydi cael llunio hyn o ragair i groesawu *Pobi* i'n silffoedd.

Ydi, mae'r gyfrol hon yn llawn ryseitiau melys newydd ond y tro yma 'dan ni'n cael ein hannog i fentro i fyd pobi bara a byns ac mae'r sawrus yn rhannu llwyfan gyda'r melys yn hapus braf. Mwynhewch bob cegiad o'r hyn mae Elliw'n ei argymell yn y llyfr rhagorol yma.

Porwch, penderfynwch, yna pobwch. Pob lwc!

Caryl Parry Jones

Medi 2014

Geirfa

blawd corn: *cornflour*
bonyn sinamon: *cinnamon stick*
bricyll: *apricots*
ceirios: *cherries*
ceuled: *curd*
cnau cyll: *hazelnuts*
cnau pin: *pine nuts*

coden fanila: *vanilla pod*
cytew: *batter*
hidlo: *to sift*
hufen sur: *sour cream*
iro: *to grease*
llugoer: *lukewarm*
mâl: *ground*
mudferwi: *to simmer*
papur cegin: *kitchen paper*
papur gwrthsaim: *greaseproof paper*
pin rholio: *rolling pin*
powdr codi: *baking powder*

rhin fanila: *vanilla extract*
sinsir mâl: *ground ginger*
siwgr gronynnog: *granulated sugar*
siwgr mân: *caster sugar*
siytni: *chutney*
soda pobi: *bicarbonate of soda*
surop euraidd: *golden syrup*
tafellau almon: *sliced almonds*
tewychu: *to thicken*
tylino: *to knead*
yn hafal: *evenly*
ysgeintio: *to sprinkle*

Cyflwyniad

Mae poblogrwydd pobi gartref ar gynnydd o hyd, ac yn bersonol dwi'n dal i gael yr un pleser ag erioed o gamu i mewn i'r gegin i greu rhywbeth newydd. Does yna ddim byd mwy hudolus nag arogl bara ffres neu gacen felys yn treiddio trwy'r tŷ. Mae yna gyfoeth o hen ryseitiau i'w canfod a rhai newydd i'w creu ac felly mae'r llyfr hwn yn adeiladu ar lwyddiant *Paned a Chacen*, fy llyfr ryseitiau pobi, pwdinau a phethau da cyntaf, gan gyfuno'r hen â'r newydd a diweddaru ryseitiau traddodiadol â blasau modern.

O fisgedi syml a byns blasus i gacennau ysblennydd, dwi'n gobeithio bod y gyfrol hon yn cynnig rhywbeth i bawb a phob achlysur: boed o'n ddathliad arbennig, yn bicnic yn y parc neu'n damaid melys i gyd-fynd â phaned.

Ces yr ysbrydoliaeth wreiddiol ar gyfer yr ail lyfr hwn wrth gofio am dun bisgedi fy mhlentyndod. Roedd y tun yn aml yn llawn gwahanol fisgedi fel *custard creams*, Bourbons a Jammy Dodgers – er gwaetha'r ffaith nad oedden ni'n cael eu bwyta nhw drwy'r amser! Bisgedi siop oedd y rhain, wrth gwrs, ond roedd atgofion melys amdanyn nhw yn ddigon i fy ysbrydoli i geisio ail-greu'r hen ffefrynnau hyn fel oedolyn. A nawr dwi'n rhannu blas o'r gorffennol gyda chi…

Mae *Pobi* wedi rhoi cyfle i mi arbrofi gyda ryseitiau a blasau, felly fe welwch rai pethau anarferol rhwng y tudalennau hyn, gan gynnwys cacen *bundt* chilli a siocled, myffins llus a choriander a chacennau bach lemon a theim. Dyma gyfuniadau sy'n swnio'n od, efallai, ond triwch nhw. Dwi'n siŵr y byddwch yn eu mwynhau.

Rhai o'r ryseitiau sy'n mynd â fy mryd yn ddiweddar yw'r rheini ar gyfer bara a byns, yn enwedig rhai cyfoethog a melys. Mae eu paratoi yn broses hamddenol nad oes modd ei brysio ac mae tylino toes yn bleser syml. Pa ffordd well o gael gwared ar rwystredigaethau'r wythnos?

Unwaith eto dwi wedi cael fy ysbrydoli gan y bwyd a flasais ar fy nheithiau, gan gynnwys tartenni Ffrengig a bisgedi Sgandinafaidd. Dwi hefyd wedi cynnwys nifer o ryseitiau newydd o Awstria ar ôl ailymweld â Heinz ac Anita Schenk yn eu gwesty yn Altenmarkt ger Salzburg. Bues i'n gweithio yno rai blynyddoedd yn ôl a chan wybod bod Heinz yn bobydd o fri, a bod yr Awstriaid yn enwog am eu cacennau, roeddwn i'n awyddus i fynd yn ôl i ddysgu mwy a chanfod ryseitiau gwahanol. Roedd yna un rysáit yn benodol yr oeddwn i'n awyddus i'w chael gan Heinz, sef yr un am ei fara melys wedi'i blethu – wir i chi, flaswch chi ddim gwell na'r bara hwn amser brecwast.

Dwi'n siŵr ei bod hi'n amlwg erbyn hyn bod gen i ddant melys. Dwi'n pobi bisgedi, cacennau a byns melys yn bennaf, ond mae yna lond popty o bethau sawrus y gellir eu coginio hefyd. Felly mae yna bennod ar bobi sawrus y tro hwn, gyda ryseitiau fel rholiau selsig wedi eu creu â chrwst pwff cartref, tartenni caws ffeta a sbigoglys a pheis bach cyw iâr a chennin, pob un yn berffaith ar gyfer cinio, picnic a pharti.

Yn yr un modd â *Paned a Chacen*, roedd hi'n bwysig i mi bod y llyfr hwn yn cynnig rhywbeth i gogyddion o bob gallu. Felly mae yna ddigon o ryseitiau syml a chyflym sy'n addas i rai sy'n dechrau pobi yn ogystal ag ar gyfer yr adegau hynny pan mae amser yn brin. Mae'r *florentines* neu'r bisgedi sinsir, er enghraifft, mor syml fel y gall plentyn eu gwneud. Ond mae yna ryseitiau eraill sy'n dipyn mwy o her, pethau fel y *macarons* rhiwbob a'r malws melys. Peidiwch â bod ofn trio'r rhain. Heriwch eich hun! Ac os nad ydych chi'n llwyddiannus y tro cyntaf, daliwch ati. Dydy o ddim yn ddiwedd y byd os nad ydy rhywbeth yn gweithio'n syth – mae'n digwydd i ni gyd. Yn sicr, dwi ddim yn llwyddo bob tro, ond dyna sut mae rhywun yn dysgu ac yn datblygu yn y gegin. Mae'n wych os yw eich cacen yn edrych yn berffaith, ond mae'n bosib rhoi gormod o bwyslais ar sut mae rhywbeth yn edrych a hynny ar draul y blas. Felly does yna ddim addurno cymhleth yn y gyfrol hon, yn bennaf am nad ydw i'n dda iawn am y math yna o beth, ond hefyd am fy mod i'n credu mai'r gacen yw'r seren. Mae pobi'n hwyl a does dim angen ei drin ormod o ddifri.

Gobeithio felly y bydd *Pobi* yn eich ysbrydoli i estyn am ffedog, torchi eich llewys a chynhesu'r popty. Gwnewch hen ffefryn neu trïwch rywbeth newydd, ond yn bwysicach na hynny mwynhewch y coginio – a'r bwyta, wrth gwrs.

Elliw Gwawr

Medi 2014
www.panedachacen.wordpress.com

Cynhwysion

Mae'r ryseitiau y tro hwn ychydig yn fwy mentrus o ran y cynhwysion y maen nhw'n eu defnyddio a'r cyfuniadau y byddwch yn cael cyfle i'w profi.

Byddwn yn eich annog i roi cynnig ar ryseitiau sy'n cyfuno pethau da â sbeisys a pherlysiau fel lemon a theim, siocled a chilli a llus (*blueberries*) a choriander.

Dwi'n credu'n gryf y dylech chi ddefnyddio'r cynhwysion gorau y gallwch chi eu fforddio. Dwi'n credu hefyd y dylai popeth fod mor ffres â phosib. Fe fyddwch chi'n blasu'r gwahaniaeth, wir i chi. Gwnewch yn siŵr bod y powdr codi a'r soda pobi yn ffres hyd yn oed. Fydd rhai sydd wedi bod yn eistedd yn y cwpwrdd am flwyddyn ddim mor effeithiol.

Hwyrach y bydd rhai o'r ryseitiau yn eich annog i dyfu perlysiau, ffrwythau a llysiau yn yr ardd, neu fforio am ffrwythau neu berlysiau gwyllt yn yr awyr agored. Mae ryseitiau fel y gacen corbwmpen a leim yn ffordd dda o ddefnyddio gormodedd o lysiau.

Dechreuwch drwy estyn y cynhwysion i gyd er mwyn sicrhau bod popeth ar dymheredd ystafell.

Dwi ddim yn defnyddio margarîn mewn cacennau – mae menyn yn fwy blasus o lawer. Mae'n hollbwysig bod y menyn yn feddal. Fel arall fe fydd yn anodd i'w guro a chael aer i mewn i'r gymysgedd. Os yw'n rhy galed, torrwch y menyn yn ddarnau a'i roi yn y micro-don am 10 eiliad. Yr unig eithriad i hyn yw pan mae'r rysáit yn nodi bod angen menyn oer. Dwi fel arfer yn

defnyddio menyn heb halen ac yn ychwanegu halen os oes angen er mwyn rheoli faint o halen sydd yn y rysáit.

Os yw'r rysáit yn galw am wyau, dwi wastad yn golygu wyau mawr. Fe allai defnyddio rhai llai effeithio ar y cynnyrch terfynol. Cofiwch, mae pobi'n wyddor. Fydda i byth yn cadw wyau yn yr oergell, ond os ydych chi'n gwneud hynny, cofiwch eu tynnu nhw allan mewn da bryd cyn eu defnyddio. Mae angen i'r wyau fod ar dymheredd ystafell.

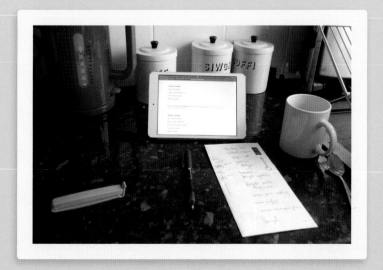

Peidiwch â thaflu'r gwynnwy na'r melynwy sy'n weddill. Fe allwch gadw'r melynwy yn yr oergell, mewn potyn a chaead arno, am ddiwrnod neu ddau. Fe fydd y gwynnwy yn cadw yn yr oergell, mewn potyn a chaead arno, am wythnos neu ddwy, neu fe allwch ei rewi am hyd at dri mis. Gallwch ddefnyddio gwynnwy i wneud y *meringues* neu'r *macarons* ar dudalen 66. Bydd y melynwy sy'n weddill yn gwneud cwstard ffres neu'r *crème brûlée* ar dudalen 46.

Mae'n bwysig prynu'r siocled gorau ar gyfer coginio. I mi, mae hynny gan amlaf yn golygu siocled tywyll gyda 70% o soledau coco. Mae ganddo flas dwys a chryf, mae'n toddi'n haws a dydy o ddim yn orfelys. Mae siocled rhatach yn tueddu i fod yn llawn olew a siwgr. Weithiau bydd ryseitiau'n galw am siocled llaeth neu siocled gwyn, ac unwaith eto, defnyddiwch y siocled gorau y gallwch ei brynu.

Peidiwch â bod ofn trio blas neu gyfuniad newydd. Efallai y cewch eich synnu!

Offer defnyddiol

Mae pob math o offer ar gael ar gyfer y gegin ond mewn gwirionedd does dim angen y rhan fwyaf ohonyn nhw arnoch wrth ddechrau pobi am y tro cyntaf. Dyma restr fer o offer defnyddiol i'ch helpu chi i ddechrau arbrofi yn y gegin, ynghyd â chyngor ar sut i'w trin a'u trafod.

BAGIAU EISIO – Mae arna i ofn nad yw hyn yn beth da iawn i'r amgylchedd, ond dwi'n defnyddio bagiau eisio plastig a'u taflu ar ôl gorffen â nhw. Mae croeso i chi ddefnyddio bagiau defnydd, ond dwi'n aml yn defnyddio mwy nag un llond bag mewn rysáit, felly mae'n haws defnyddio bag plastig newydd na cheisio golchi a sychu bag defnydd.

CLORIAN – Beth yw'r gwahaniaeth rhwng pobi a mathau eraill o goginio? Mae pobi yn wyddor. Felly, nid taflu pethau at ei gilydd fyddwch chi yn yr un modd â phetaech chi'n gwneud caseról. Mae'n hollbwysig pwyso'r cynhwysion yn ofalus ac er mwyn gwneud hynny'n iawn dwi'n defnyddio clorian drydan. Mae'n llawer mwy cywir ac mae'n fy ngalluogi i bwyso hylif hefyd.

CYLLELL BALET – Mae'n werth buddsoddi mewn cyllell balet – dydyn nhw ddim yn ddrud. Bydd y gyllell hon yn eich helpu i sicrhau bod yr eisin ar y gacen mor llyfn â phosib pan fyddwch yn dymuno hynny. Bydd hefyd yn help mawr i godi bisgedi tenau oddi ar y bwrdd, fel y bisgedi Nadoligaidd yn y llyfr hwn.

CYMYSGWR TRYDAN NEU CHWISG DRYDAN – Os oes un peth sy'n mynd i wneud eich bywyd yn haws wrth bobi yna cymysgwr trydan neu chwisg drydan yw hwnnw, yn arbennig wrth gymysgu menyn a siwgr neu gymysgu wyau i wneud *meringue*. Does dim rhaid prynu cymysgwr drud, ond wedi dweud hynny, mae cymysgwyr bwrdd (*table-top mixers*) yn ffasiynol iawn nawr. Dwi wrth fy modd â fy un i. Mae'n llawer haws i'w ddefnyddio wrth wneud toes neu fara.

FFA POBI – Yn aml bydd rysáit yn gofyn i chi goginio tipyn bach ar y toes cyn ychwanegu'r llenwad. Bydd defnyddio haenen o bapur coginio a ffa pobi i bwyso'r toes i lawr yn sicrhau nad yw'n codi gormod. Fe allwch chi ddefnyddio unrhyw bys neu ffa sych, ond bydd ffa pobi pwrpasol yn sicrhau bod y toes yn coginio'n gytbwys.

GOGR/RHIDYLL – Dwi'n gwybod i mi ddweud y gwrthwyneb i hyn yn fy llyfr cyntaf, *Paned a Chacen*, ond, yn bersonol, dwi ddim yn tueddu i hidlo blawd bellach. Mae yna lawer o bobl sy'n dadlau ei fod yn gwneud y cacennau'n ysgafnach, ond dwi ddim wedi gweld nac wedi blasu prawf fod hynny'n wir. Wedi dweud hynny, mae yna achlysuron pan mae gogr yn ddefnyddiol – wrth wneud *macarons* er enghraifft.

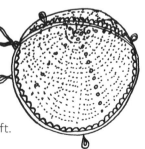

LLWYAU MESUR – Mae'n werth buddsoddi mewn llwyau mesur go iawn. Bydd rysáit sy'n gofyn am lond llwy de o gynhwysyn penodol yn golygu llond llwy lefel sy'n mesur 5ml. Dydy llwyau te a llwyau bwrdd cyffredin ddim yn gyson o ran eu maint.

PIN RHOLIO – Bydd arnoch angen un o'r rhain i'ch galluogi i rolio toes wrth wneud cacennau neu fisgedi.

POPTY – Y cam cyntaf wrth ddechrau coginio yw rhoi'r popty ymlaen. Mae hynny'n bwysig er mwyn sicrhau bod y popty wedi cynhesu i'r tymheredd cywir cyn i chi roi'r cacennau i mewn.

Mae pob popty yn amrywio o ran ei dymheredd a chi sy'n nabod eich popty eich hun orau. Felly, er fy mod i'n nodi amseroedd coginio yn y ryseitiau, bydd angen i chi ddefnyddio eich synnwyr cyffredin hefyd. Gadewch y gacen yn y popty am ychydig funudau yn ychwanegol os yw hi'n edrych fel petai angen mwy o amser arni.

Mae poptai pawb yn tueddu i fod yn boethach yn un gornel. Er mwyn sicrhau bod eich cacennau'n brownio'n hafal, trowch y tun tuag at ddiwedd yr amser coginio. Peidiwch ag agor y popty i weld sut olwg sydd ar y gacen neu'r cacennau nes i o leiaf ¾ yr amser coginio fynd heibio. Byddai hynny'n gadael aer oer i mewn ac yn effeithio ar dymheredd y popty ac, felly, yn amharu ar allu'r gacen i godi.

PROSESYDD BWYD – Un bach sydd gen i ar hyn o bryd ac mae'n ddefnyddiol iawn i dorri cnau yn fân neu i falu bisgedi'n friwsion. Mae rhai mawr yn wych ar gyfer gwneud toes.

RHWYLL FETEL - Ar ôl i chi dynnu'r cacennau o'r popty gadewch iddyn nhw oeri ar rwyll fetel. Bydd hynny'n gadael i'r aer gylchdroi o gwmpas y gacen gyfan.

SGIWER – Bydd sgiwer sy'n cael ei gosod yng nghanol cacen yn dod allan yn lân os yw'r gacen yn barod. Os nad ydych yn berchen ar sgiwer, gallwch ddefnyddio ffon goctel i wneud yr un gwaith.

TRWYN EISIO – Os ydych chi'n mynd i brynu un ar gyfer eisio cacennau bach, yna prynwch un mawr siâp seren. Fe fydd yn gwneud i'r cacennau edrych yn broffesiynol a hynny'n gwbl ddiymdrech.

TUNIAU – Os ydych chi'n dechrau pobi, fe fyddwn i'n argymell eich bod yn prynu tun myffins 12 twll, tun torth 2 bwys, dau dun crwn 20cm a thun pobi hirsgwar. Gallwch ychwanegu at eich casgliad wrth ichi arbrofi gyda ryseitiau newydd. Mae yna ryseitiau yn y llyfr hwn sy'n galw am ddefnyddio tun *bundt* neu dun *madeleines*. Mae'r ddau fath yn rhoi siâp deniadol i'r cacennau heb unrhyw ymdrech ychwanegol gennych chi.

THERMOMEDR SIWGR – Mae'r teclyn hwn yn angenrheidiol os ydych chi'n mynd i wneud caramel, malws melys neu hyd yn oed jam, gan fod angen cynhesu siwgr hyd at dymheredd penodol iawn. Mae hefyd yn ddefnyddiol iawn i brofi tymheredd olew cyn ffrio toesion neu dymheredd llaeth wrth wneud bara melys. Does dim rhaid gwario ffortiwn ar thermomedr digidol – mae'n bosib eu prynu nhw am ychydig bunnoedd.

Ryseitiau

Atgofion Melys

Bisgedi Bourbon 16
Bisgedi cwstard 18
Bisgedi cwrens 20
Bisgedi sinsir 21
Bisgedi jam 22
Bisgedi ceirch 24

Perffaith â phaned

Cacennau bach lemon a theim 28
Cacen farblis 30
Cacen corbwmpen a leim 32
Bundt chilli a siocled 34
Cacen siocled ddi-flawd 36
Cacen orennau bach a marmalêd 38
Cacen siocled gwyn a chardamom 40
Myffins llus a choriander 42

Pwdin i bob achlysur

Crème brûlée gwsberis 46
Eirin gwlanog wedi'u potsio 48
Tarten almon a gellyg 50
Tarten ceirios a chwstard 52
Tartenni bach *meringue* lemon 54
Hufen iâ crymbl rhiwbob 56
Hufen iâ pralin hallt 58
Hufen iâ bara brown a marmalêd 59
Iogwrt mwyar duon wedi rhewi 60

Dant Melys

Madeleines 64
Macarons rhiwbob 66
Jam rhiwbob a sinsir 69
Florentines 70
Bysedd cnau cyll a siocled 72
Malws melys 74
Siocledi sinsir tywyll 76
Siocledi gwyn â phistasio 77

Bara a byns

Bara wedi'i blethu 80
Byns siocled a chnau cyll 82
Llygod bach Heinz 84
Bara sinamon 86
Beugel 88
Rym babas 90

Amser dathlu

Cacen enfys 94
Cacen mafon a siocled gwyn 98
Cacen cnau coco a *granadilla* 100
Ceuled *granadilla* 102
Cacen siocled a charamel hallt 104
Saws caramel hallt 106
Cacen *tiramisu* 108
Cacen hufen iâ fanila, siocled
a chnau mwnci 110

Achlysuron arbennig

Bisgedi Santes Dwynwen 114
Crempogau 116
Topfenpalatschinken 118
Byns y Grog 120
Cacennau bach Calan Gaeaf 122
Cacen gaws Nadoligaidd 124
Coron Nadolig 126
Pepperkaker 128

Sawrus

Tarten asbaragws ac eog 132
Tartenni bach caws ffeta a sbigoglys 134
Rholiau selsig 136
Pasteiod caws a nionyn picl 138
Myffins caws, cig moch a chennin 139
Cracers carwe 140
Bisgedi caws 141

Atgofion Melys

Bisgedi oedd rhai o'r pethau cyntaf wnes i eu coginio yn blentyn. Maen nhw'n syml iawn i'w gwneud ac mae'r broses o stampio'r siapiau â thorrwr yn hwyl garw i unrhyw un sy'n dechrau coginio. Dwi'n siŵr bod hanner y pleser y mae oedolion yn ei gael o wneud bisgedi yn dod o ail-fyw atgofion tebyg.

Er hynny, bisgedi siop sy'n dod i'r cof wrth feddwl yn ôl i fy mhlentyndod pan oedd bisgeden yn bleser achlysurol. Dyma pryd yr oeddwn i'n cael tyrchu yn yr hen dun amser te bach am fisgedi fel Bourbons, *custard creams* a Jammie Dodgers. Hen ffefrynnau, ond bisgedi sydd bellach wedi mynd allan o ffasiwn wrth i bobl droi at gwcis Americanaidd neu fisgedi mwy moethus wedi'u gorchuddio â siocled.

Ond hyd yn oed os na fyddwch chi bellach yn estyn paced o HobNobs oddi ar y silff yn yr archfarchnad, mae yna bleser mawr i'w gael o wneud bisgedi cartref sy'n debyg iawn i'r rhai yr oeddech chi'n arfer eu bwyta yn blentyn.

Efallai y bydd rhai ohonoch yn gofyn 'Pam gwneud bisgedi eich hunain pan maen nhw mor rhad i'w prynu yn y siop?' Wel, does dim ond angen edrych ar y rhestr hirfaith o gynhwysion mewn bisgedi siop i wybod bod yr hyn y byddwch chi'n ei wneud gartref o flawd, siwgr a menyn yn llawer iachach i chi – ac i'r plant. Ac mae'n hwyl!

Bydd plant wrth eu boddau yn eich helpu i goginio'r rhain, ac maen nhw'n sicr o roi gwên ar wyneb oedolion wrth i atgofion plentyndod lifo'n ôl gyda phob cegaid felys.

Bisgedi Bourbon

Mae'r bisgedi siocled hyn yn edrych ac yn blasu'n union fel y rhai yr oeddwn i'n eu bwyta yn blentyn. Ond gan eu bod nhw'n rhai cartref, dwi'n addo eu bod nhw'n llawer iachach, sy'n golygu un peth wrth gwrs – gallwch fwyta dwywaith cymaint ohonyn nhw! Dwi'n dal i'w bwyta nhw fel yr oeddwn i'n gwneud pan oeddwn yn hogan fach – y fisgeden oddi ar y top i ddechrau, yna llyfu'r eisin i ffwrdd a llowcio'r fisgeden sy'n weddill.

60g o fenyn heb halen, oer
125g o flawd plaen
60g o siwgr mân
Pinsied o halen
30g o bowdr coco
1 llwy fwrdd o surop
1 wy
2 lwy fwrdd o siwgr gronynnog i'w ysgeintio ar y bisgedi cyn eu coginio

Ar gyfer y llenwad
50g o fenyn heb halen
75g o siwgr eisin
½ llwy de o rin fanila
1 llwy fwrdd o bowdr coco

Torrwch y menyn yn ddarnau bach a'u rhwbio i mewn i'r blawd â blaenau eich bysedd neu eu cymysgu mewn prosesydd bwyd nes bod y cyfan yn edrych fel briwsion.

Ychwanegwch y siwgr, yr halen a'r powdr coco a chymysgu â llwy.

Ychwanegwch y surop a'r wy a chymysgu eto nes bod y cyfan yn dechrau dod ynghyd. Yna defnyddiwch eich dwylo i wasgu'r toes at ei gilydd i ffurfio siâp pêl.

Lapiwch y belen mewn *cling film* a rhoi'r toes i oeri yn yr oergell am 30 munud.

Cynheswch y popty i 170°C / Ffan 150°C / Nwy 3 a leinio tun pobi â phapur gwrthsaim.

Ysgeintiwch ychydig o flawd ar y bwrdd a rholio'r toes nes ei fod yn 2–3mm o drwch. Yna torrwch siapiau petryal tua 5cm x 3cm ohono.

Rhowch y siapiau ar y tun pobi a defnyddio fforc i brocio tyllau ar hyd ochrau hir y siapiau petryal. Ysgeintiwch nhw â siwgr gronynnog.

Coginiwch y bisgedi yn y popty am 8 munud cyn gadael iddyn nhw oeri ar rwyll fetel.

Gwnewch y llenwad drwy gymysgu'r menyn, y siwgr eisin, y fanila a'r powdr coco â chwisg drydan am ychydig funudau nes bod y cymysgedd yn llyfn.

Pan fydd y bisgedi wedi oeri'n llwyr, rhowch yr eisin mewn bag peipio a thorri twll 1cm o hyd yng ngwaelod y bag.

Peipiwch rywfaint o'r eisin ar waelod un o'r bisgedi a rhoi bisgeden arall ar ei phen. Gwnewch yr un peth â'r holl fisgedi sy'n weddill.

Bisgedi cwstard

Tan i mi benderfynu gwneud rhain, doeddwn i ddim wedi bwyta *custard cream* ers blynyddoedd. Ond yn blentyn roeddwn i'n eu bwyta'n aml: boed yn de prynhawn yn nhŷ Nain neu'n fore coffi gyda Mam, roedd yna wastad *custard cream* ar gael. Mae fy fersiwn i ychydig yn wahanol o ran golwg ond mae'r blas yn ddigon agos at y gwreiddiol i ddod â'r atgofion yn ôl.

60g o fenyn heb halen, oer

120g o flawd plaen

60g o bowdr cwstard

60g o siwgr eisin

1 wy

Ar gyfer y llenwad

50g o fenyn heb halen

6 llwy fwrdd o siwgr eisin

1 llwy fwrdd o bowdr cwstard

½ llwy de o rin fanila

Diferyn o laeth

Torrwch y menyn yn ddarnau bach a'u rhwbio i mewn i'r blawd â blaenau eich bysedd neu eu cymysgu mewn prosesydd bwyd nes bod y cyfan yn edrych fel briwsion.

Ychwanegwch y powdr cwstard a'r siwgr eisin a chymysgu'n dda. Yna ychwanegwch yr wy.

Gwasgwch a thylino'r toes â'ch dwylo nes ei fod yn dod at ei gilydd ac yn ffurfio pêl. Lapiwch y belen mewn *cling film* a rhoi'r toes i oeri yn yr oergell am 30 munud.

Ysgeintiwch ychydig o flawd ar y bwrdd a rholio'r toes nes ei fod yn 3–4mm o drwch. Torrwch gylchoedd o'r toes â thorrwr crwn 5cm a'u gosod ar dun pobi wedi'i leinio â phapur gwrthsaim.

Prociwch ganol pob bisgeden â fforc ac yna eu rhoi i oeri yn yr oergell am 15 munud arall. Yn y cyfamser, cynheswch y popty i 180°C / Ffan 160°C / Nwy 4.

Coginiwch y bisgedi am 10 munud, gan ofalu nad ydyn nhw'n brownio. Gadewch iddyn nhw oeri ar rwyll fetel.

Gwnewch yr eisin cwstard drwy gymysgu'r menyn, y siwgr eisin, y powdr cwstard a'r fanila â chwisg drydan am 3–4 munud. Os yw'r cymysgedd yn rhy drwchus, ychwanegwch ddiferyn o laeth i'w lacio.

Pan fydd y bisgedi wedi oeri, rhowch yr eisin mewn bag peipio a thorri twll 1cm o hyd yng ngwaelod y bag. Peipiwch ychydig o'r eisin ar waelod un o'r bisgedi a gosod bisgeden arall ar ei phen. Gwnewch yr un peth â'r holl fisgedi sy'n weddill.

Bisgedi Cwrens

Bu bron i mi fwyta platiad cyfan o'r rhain ar ôl i mi eu gwneud y tro cyntaf. Mae'r cwrens a'r siwgr gronynnog wedi'i ysgeintio ar y top yn trawsnewid bisgeden ddigon plaen yn rhywbeth llawer mwy blasus a deniadol.

100g o fenyn heb halen
50g o siwgr mân
140g o flawd plaen
20g o flawd corn
Pinsied o halen
1 llwy fwrdd o laeth
40g o gwrens
2 lwy fwrdd o siwgr gronynnog i'w ysgeintio ar y bisgedi cyn eu coginio

Cynheswch y popty i 170°C / Ffan 150°C / Nwy 3 a leinio tun pobi â phapur gwrthsaim.

Curwch y menyn a'r siwgr â chwisg drydan nes eu bod wedi cymysgu (does dim eisiau gwneud hyn am yn rhy hir).

Hidlwch y 2 fath o flawd i'r cymysgedd ac ychwanegu'r halen, y llaeth a'r cwrens, cyn cymysgu â llwy.

Defnyddiwch eich dwylo i dylino'r toes yn ysgafn nes ei fod yn ffurfio pêl.

Lapiwch y belen mewn *cling film* a rhoi'r toes i oeri yn yr oergell am 30 munud.

Ysgeintiwch ychydig o flawd ar y bwrdd a rholio'r toes nes ei fod yn 0.5cm o drwch. Torrwch gylchoedd o'r toes â thorrwr bisgedi crwn 6cm.

Rhowch y bisgedi ar y tun pobi a'u hysgeintio ag ychydig o siwgr gronynnog.

Coginiwch nhw am 20 munud nes eu bod yn dechrau troi'n euraidd, yna rhowch nhw ar rwyll fetel i oeri'n llwyr.

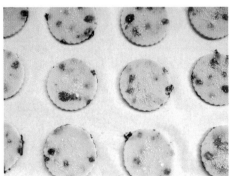

Bisgedi sinsir

Yn fy marn i, os ydych chi'n mynd i wneud bisgedi sinsir yna ewch amdani gyda'r sinsir, fel bod tipyn o gic iddyn nhw. Dyna pam dwi wedi cynnwys sinsir mâl a darnau sinsir mewn surop ymhlith cynhwysion y bisgedi hyn. Mae hon yn fisgeden ddelfrydol i'w throchi mewn paned gan ei bod yn weddol galed, felly fydd hi ddim yn cwympo'n ddarnau yn eich te.

50g o fenyn heb halen, oer

150g o flawd codi

½ llwy de o soda pobi

50g o siwgr brown meddal

1 llwy de o sinsir mâl

2 ddarn o sinsir mewn surop

1 llwy fwrdd o surop sinsir o'r jar

3 llwy fwrdd o surop euraidd

Cynheswch y popty i 170°C / Ffan 150°C / Nwy 3 a leinio tun pobi â phapur gwrthsaim.

Torrwch y menyn yn ddarnau bach a'u rhwbio i mewn i'r blawd â blaenau eich bysedd nes bod y cyfan yn edrych fel briwsion.

Ychwanegwch y soda pobi, y siwgr a'r sinsir mâl a chymysgu'r cyfan â llwy.

Torrwch y sinsir mewn surop yn ddarnau mân a'u hychwanegu i'r cymysgedd gyda'r 2 fath o surop, a chymysgu nes bod y cyfan yn ffurfio pêl.

Cymerwch lwmp bach o does maint cneuen Ffrengig a'i rolio'n belen. Rhowch y bêl ar y tun pobi a'i gwasgu i lawr rywfaint â chefn fforc. Gwnewch yr un peth â gweddill y toes, gan sicrhau bod digon o le rhwng pob bisgeden – byddan nhw'n lledu rhywfaint wrth goginio.

Pobwch nhw am 10–15 munud nes bod ochrau'r bisgedi yn dechrau troi'n euraidd, cyn gadael iddyn nhw oeri ar rwyll fetel.

Bisgedi jam

Bisgedi jam oedd fy ffefrynnau pan oeddwn i'n iau a dwi wrth fy modd yn eu gwneud fy hun nawr. Mae'r jam coch yn disgleirio fel rhuddem trwy'r twll bach yn y canol. Bydd angen torrwr bach siâp calon arnoch er mwyn gwneud y twll calon traddodiadol yn y canol, ond peidiwch â phoeni'n ormodol os nad oes gennych un o'r rhain, fe fyddan nhw'n dal i flasu yr un mor anhygoel. Yn fy marn i dylai'r jam yn y canol fod yn ludiog â rhywfaint o waith cnoi arno.

140g o fenyn heb halen, oer
230g o flawd plaen
120g o siwgr mân
1 wy
1 llwy de o rin fanila
3 llwy fwrdd o jam mefus heb hadau ynddo

Torrwch y menyn yn ddarnau bach a'u rhwbio i mewn i'r blawd â blaenau eich bysedd nes bod y cyfan yn edrych fel briwsion.

Ychwanegwch y siwgr a chymysgu â llwy.

Ychwanegwch yr wy a'r fanila a chymysgu nes bod y cyfan yn ffurfio pêl. Defnyddiwch eich dwylo i wasgu'r cymysgedd at ei gilydd.

Lapiwch y belen mewn *cling film* a rhoi'r toes i oeri yn yr oergell am 30 munud.

Cynheswch y popty i 170°C / Ffan 150°C / Nwy 3 a leinio tun pobi â phapur gwrthsaim.

Rholiwch y toes nes ei fod yn 3mm o drwch a thorri cylchoedd ohono â thorrwr crwn tua 6cm. Yna defnyddiwch dorrwr calon bach i dorri siâp calon o ganol hanner y bisgedi.

Rhowch y bisgedi ar y tun pobi a'u coginio yn y popty am 8–10 munud, cyn gadael iddyn nhw oeri ar rwyll fetel.

Rhowch y jam mewn sosban a'i ferwi am ychydig funudau nes ei fod yn dechrau tewychu. Byddwch yn ofalus gan fod jam berwedig yn gallu llosgi. Mae'n bwysig berwi'r jam neu fe fydd yn rhy denau.

Wedi i'r bisgedi oeri, rhowch ychydig o'r jam ar waelod un o'r bisgedi heb dwll. Yna rhowch fisgeden â thwll ar ei phen. Gwnewch yr un peth â'r holl fisgedi sy'n weddill.

Gadewch i'r jam oeri cyn eu bwyta.

Bisgedi ceirch

Dyma fy fersiwn i o HobNobs – y bisgedi ceirch crensiog sy'n berffaith i'w trochi mewn paned o de. Dydyn nhw ddim mor grand â bisgedi eraill, ond maen nhw'n glasur ac yn fy marn i does dim byd gwell gyda myg mawr o de cryf.

100g o geirch
100g o flawd sbelt
1 llwy de o bowdr codi
100g o fenyn heb halen, oer
50g o siwgr brown
½ llwy de o halen
2 lwy fwrdd o laeth

Rhowch y ceirch mewn prosesydd bwyd a'u malu'n weddol fân.

Yna rhowch nhw mewn powlen, ychwanegu'r blawd a'r powdr codi, a chymysgu.

Torrwch y menyn yn ddarnau bach a'u rhwbio i mewn i'r cynhwysion sych â blaenau eich bysedd nes bod y cyfan yn edrych fel briwsion.

Ychwanegwch y siwgr a'r halen a chymysgu'n dda.

Ychwanegwch 1 llwy fwrdd o laeth a gwasgu'r cymysgedd at ei gilydd nes ei fod yn ffurfio pêl. Os yw'r cymysgedd yn edrych yn rhy sych, ychwanegwch weddill y llaeth.

Lapiwch y belen mewn papur gwrthsaim a rhoi'r toes yn yr oergell am 30 munud.

Cynheswch y popty i 180°C / Ffan 160°C / Nwy 4 a leinio tun pobi â phapur gwrthsaim.

Mae'r cymysgedd hwn yn gallu bod yn un eithaf gludiog, felly rhowch y toes rhwng 2 ddarn o bapur gwrthsaim er mwyn ei rolio.

Rholiwch y toes nes ei fod tua 3mm o drwch a thorri cylchoedd ohono â thorrwr crwn 6cm.

Rhowch y bisgedi ar y tun pobi a'u coginio am 10 munud, nes bod yr ochrau'n dechrau lliwio.

Rhowch nhw ar rwyll fetel i oeri'n llwyr.

Perffaith â phaned

Does dim sy'n well na phaned a chacen. Mae cacen ysgafn yn gwmni i gwpanaid o de poeth yn nefoedd i mi. Dwi'n hollol argyhoeddedig eu bod yn ateb i fy holl broblemau – wel, am ddeg munud bach o leiaf. Does dim ots pa fath o gacen, dwi'n eithaf hawdd fy mhlesio, ond mae'n rhaid i'r te fod yn gryf a dim ond mymryn o laeth ynddo.

Er fy mod yn hoff iawn o gacennau traddodiadol fel sbwnj Fictoria neu sgon, cododd awch arna i'n ddiweddar i fod yn fwy arbrofol wrth bobi. Dydy'r cacennau yn y bennod hon ddim yn anodd i'w gwneud ond mae'r cyfuniad o gynhwysion ychydig yn wahanol bob tro. Efallai fod y gacen chilli a siocled, y myffins llus a choriander a'r cacennau bach lemon a theim yn swnio fel cyfuniadau od, ond trïwch nhw. Mae blas ysgafn i'r sbeisys a'r perlysiau ac maen nhw'n dyrchafu cacen ddigon cyffredin i dir llawer uwch. Maen nhw'n hyfryd ar eu pennau eu hunain, ond yn fy marn i maen nhw'n llawer gwell gyda phaned.

Wrth gwrs, does yna'r unlle gwell i gael ysbrydoliaeth nag wrth fwynhau te prynhawn mewn gwesty crand. Yn ogystal â'r brechdanau a'r sgons clasurol, fe gewch chi gacennau bach sy'n edrych yn anhygoel ac sy'n fentrus eu cynhwysion. Tra oeddwn i'n ysgrifennu'r llyfr hwn fe fues i'n cael te yng ngwesty'r Dorchester yn Llundain (ymchwil wrth gwrs!) ac mae'r cacennau yno ymhlith y gorau dwi erioed wedi eu bwyta. Yn rhy aml, mae'r math yma o ddanteithion – y cacennau bach sy'n cael eu gweini ar ddiwedd pryd – yn edrych yn dlws iawn ond mae'r blas yn gallu bod ychydig yn siomedig. Ond nid yn y Dorchester. Roedd yna gacen mefus a siocled gwyn ysgafn iawn; *financier* siocled gyda *mousse* pistasio gwyrdd llachar, oedd yn edrych yn drawiadol ac yn blasu'n ogoneddus hefyd; *macaron piña colada* anhygoel o flasus; a fy ffefryn – tarten siocled, cnau mwnci a charamel hallt. Mae'r cyfuniadau hyn yn sicr wedi ysbrydoli rhai o'r ryseitiau yn y llyfr hwn.

Cacennau bach lemon a theim

Efallai fod y syniad o roi perlysiau mewn cacen yn swnio braidd yn od, ond mae ychwanegu teim lemon i'r cacennau bach yma'n rhoi tro diddorol yng nghynffon y gacen lemon draddodiadol. Mae'r effaith yn ysgafn ond mae'r teim persawrus yn ychwanegu at y blas lemon. Dwi'n gwneud rhain mewn tun gyda sawl twll *bundt* bach ynddo. Gallwch eu gwneud mewn tuniau myffins hefyd gan iro'r tun yn ddigon da cyn ei ddefnyddio.

225g o fenyn heb halen

225g o siwgr mân

4 wy

275g o flawd codi

1 llwy de o bowdr codi

Croen 1 lemon wedi'i gratio

3 llwy de o ddail teim lemon ffres wedi'u torri'n fân

2 lwy fwrdd o laeth

Ar gyfer y surop

100g o siwgr mân

Sudd 1½ lemon

2 lwy de o ddail teim lemon ffres wedi'u torri'n fân

Digon i wneud 18 cacen mewn tuniau *bundt* bach

Cynheswch y popty i 180°C / Ffan 160°C / Nwy 4 ac iro'r tuniau *bundt* bach. Dwi'n defnyddio rhai silicon gan ei bod yn llawer haws cael y cacennau allan ar y diwedd.

Curwch y menyn a'r siwgr â chwisg drydan am 5 munud nes bod y cymysgedd yn ysgafn ac yn olau. Ychwanegwch yr wyau, un ar y tro, gan gymysgu'n dda â'r chwisg drydan rhwng pob un.

Hidlwch y blawd a'r powdr codi i mewn i'r cymysgedd, a phlygu'r cyfan yn ofalus â llwy. Ychwanegwch y croen lemon, y dail teim lemon wedi'u torri'n fân a'r llaeth, a'u cymysgu'n dda â llwy.

Llenwch y tuniau nes eu bod yn ¾ llawn.

Coginiwch y cacennau am 20–25 munud nes eu bod yn euraidd ar y top a bod sgiwer a osodir yng nghanol un o'r cacennau yn dod allan yn lân.

Gadewch i'r cacennau oeri yn y tuniau am ychydig a gwnewch y surop. Cynheswch y siwgr, y sudd lemon a'r dail teim lemon mewn sosban nes bod y siwgr wedi toddi'n llwyr.

Tynnwch y cacennau o'r tuniau a'u rhoi ar rwyll fetel. Prociwch ychydig o dyllau yn nhop pob un. Rhowch bapur gwrthsaim o dan y rhwyll fetel a thywallt y surop dros y cacennau, cyn gadael iddyn nhw oeri'n llwyr.

Gallwch ddefnyddio teim cyffredin os na allwch ddod o hyd i deim lemon.

Cacen farblis

Mae'r patrwm fel marblen a geir wrth gyfuno cacen fanila â chacen siocled yn creu cacen ddeniadol iawn. Dwi'n hoffi'r ffaith ei bod yn edrych yn ddigon plaen o'r tu allan – dim ond wrth ei thorri y daw'r patrwm ysblennydd i'r golwg.

20g o fenyn heb halen

220g o siwgr mân

3 wy

2 lwy de o rin fanila

220g o flawd plaen

Pinsied o halen

2 lwy de o bowdr codi

3 llwy fwrdd o laeth

2 lwy fwrdd o bowdr coco

Cynheswch y popty i 180°C / Ffan 160°C / Nwy 4 ac iro a leinio tun torth 2 bwys.

Curwch y menyn a'r siwgr â chwisg drydan am 5 munud.

Ychwanegwch yr wyau, un ar y tro, gan gymysgu pob un yn dda â'r chwisg drydan cyn ychwanegu'r nesaf.

Ychwanegwch y fanila a chymysgu'n dda eto.

Hidlwch y blawd, yr halen a'r powdr codi i mewn i'r cymysgedd a'u plygu i mewn yn ofalus â llwy.

Ychwanegwch y llaeth a chymysgu'n llwyr â llwy.

Rhannwch y cymysgedd rhwng 2 bowlen ac ychwanegu'r coco at un hanner, gan ei blygu i mewn i'r cymysgedd â llwy.

Rhowch lwyaid yr un o'r cymysgedd siocled a'r cymysgedd fanila yn y tun bob yn ail, nes eich bod wedi defnyddio'r cymysgedd i gyd.

Yna tynnwch sgiwer neu *chopstick* drwy'r cymysgedd yn y tun i greu patrwm fel marblen. Gofalwch nad ydych yn cymysgu'n ormodol – rydych chi eisiau i'r 2 flas a'r 2 liw fod yn amlwg.

Coginiwch yn y popty am 60–70 munud, neu nes bod sgiwer a osodir yng nghanol y gacen yn dod allan yn lân.

Gadewch i'r gacen oeri yn y tun am 5 munud cyn ei rhoi ar rwyll fetel i oeri'n llwyr.

Cacen corbwmpen a leim

Pan ofynnodd fy chwaer am ryseitiau a fyddai'n defnyddio'r doreth o gorbwmpenni (*courgettes*) oedd ganddi'n tyfu yn yr ardd, y peth cyntaf ddaeth i'm meddwl oedd trio gwneud cacen â nhw. Rydych chi'n gallu gwneud cacen â moron, felly beth am gorbwmpenni? Mae'r corbwmpenni'n sicrhau bod y gacen yn llaith ac yn rhoi lliw deniadol iddi hefyd, tra bod y leim yn cadw'r gacen yn ffres – perffaith ar gyfer yr haf.

250g o gorbwmpenni wedi'u gratio
200g o fenyn heb halen
175g o siwgr mân
3 wy
250g o flawd codi
1 llwy de o soda pobi
Croen 2 leim
Sudd 1 leim

Ar gyfer yr eisin
200g o siwgr eisin
Croen a sudd 1 leim

Cynheswch y popty i 180°C / Ffan 160°C / Nwy 4 ac iro tun *bundt* gan sicrhau eich bod yn cyrraedd pob twll a chornel ohono.

Gratiwch y corbwmpenni i mewn i bowlen, gan osgoi'r hadau yn y canol.

Mewn powlen arall, curwch y menyn â chwisg drydan am funud. Yna ychwanegwch y siwgr a churo am 4 munud arall.

Ychwanegwch yr wyau un ar y tro, gan gymysgu pob un yn dda â chwisg drydan cyn ychwanegu'r nesaf.

Hidlwch y blawd a'r soda pobi i mewn i'r cymysgedd a'u plygu i mewn â llwy bren.

Ychwanegwch y corbwmpenni a'r croen a'r sudd leim a chymysgu'n dda.

Rhowch y cymysgedd yn y tun a'i goginio am 35 munud, nes bod top y gacen yn euraidd a sgiwer a osodir yn ei chanol yn dod allan yn lân. Mae siâp y tun yn golygu bod y gacen yn coginio'n llawer mwy cyfartal.

Gadewch i'r gacen oeri yn y tun, ac os ydych wedi'i iro'n dda fe ddylai ddod allan yn reit hawdd. Yna gadewch iddi oeri'n llwyr ar rwyll fetel cyn ei haddurno â'r eisin.

Er mwyn gwneud yr eisin, cymysgwch y siwgr eisin â sudd a chroen y leim. Tywalltwch yr eisin dros y gacen, gan adael iddo ddiferu i lawr yr ochrau yn ddeniadol.

Bundt chilli a siocled

Mae gwreiddiau'r syniad o gyfuno chilli a siocled yn dod o Fecsico ac yn dyddio'n ôl cyn belled â chyfnod yr Asteciaid a'r Maias. Dau flas arall sy'n cael eu cyfuno â siocled ym Mecsico yw sinamon ac oren. Mae'r chilli'n dwysáu blas y siocled tra bod y sinamon yn ychwanegu cynhesrwydd persawrus a'r oren yn torri trwy'r cyfoeth.

300g o siocled tywyll da (70% o soledau coco)

200g o fenyn heb halen

250g o siwgr brown golau

3 wy

½ llwy de o rin oren

1 llwy de o rin fanila

Croen 2 *clementine* wedi'i gratio

75ml o laeth enwyn (*buttermilk*)

180g o flawd codi

1 llwy de o bowdr codi

50g o bowdr coco

1 llwy de o chilli wedi'i sychu (heb yr hadau) wedi'i falu'n fân

1 llwy de o sinamon

Cynheswch y popty i 190°C / Ffan 170°C / Nwy 5 ac iro tun *bundt* mawr yn dda.

Toddwch 200g o'r siocled a'r holl fenyn mewn powlen dros sosban o ddŵr sy'n mudferwi. Tynnwch y bowlen oddi ar y gwres a'i rhoi i'r naill ochr i oeri.

Mewn powlen arall, chwisgiwch y siwgr a'r wyau â chwisg drydan am 3-4 munud nes eu bod yn ysgafn ac wedi dyblu mewn maint.

Ychwanegwch y rhin oren, y fanila a chroen y *clementines* wedi'i gratio a chymysgu'r cyfan yn dda.

Tywalltwch hanner y siocled wedi toddi i mewn i'r cymysgedd a'i blygu i mewn yn ofalus â *spatula*. Yna ychwanegwch weddill y siocled a'r llaeth enwyn a'u plygu i mewn.

Hidlwch y blawd, y powdr codi a'r powdr coco i mewn i'r cymysgedd ac ychwanegu'r chilli a'r sinamon. Plygwch y cyfan i mewn yn ofalus â *spatula*.

Tywalltwch y cymysgedd i mewn i'r tun a'i goginio am 30 munud nes bod sgiwer a osodir yng nghanol y gacen yn dod allan yn lân.

Gadewch i'r gacen oeri am ychydig yn y tun, yna ei rhoi ar rwyll fetel i oeri'n llwyr.

Toddwch y 100g o siocled sy'n weddill mewn powlen dros sosban o ddŵr sy'n mudferwi, a'i dywallt dros y gacen.

Mae'r gacen yma'n
dywyll, yn gyfoethog
ac ychydig o gic
yn perthyn iddi.
Does dim
angen dweud
felly mai
cacen i
oedolion yw
hon.

Cacen siocled ddi-flawd

Mae'r gacen hon hanner ffordd rhwng *brownie* a chacen siocled. Mae'n ddwys ac yn gyfoethog. Ar ôl ei choginio fe fydd y gacen yn suddo ac yn cracio rhywfaint, ond peidiwch â phoeni, mae hynny'n ychwanegu at ei hapêl.

300g o siocled tywyll da (70% o soledau coco)

200g o fenyn heb halen

250g o siwgr mân

6 wy wedi'u rhannu yn felynwy a gwynnwy

2 lwy de o rin fanila

Does dim blawd o gwbl yn y gacen hon, felly mae'n berffaith ar gyfer unrhyw un sy'n methu bwyta gwenith.

Cynheswch y popty i 170°C / Ffan 150°C / Nwy 3 ac iro a leinio tun crwn 20cm sy'n agor â sbring ar yr ochr.

Toddwch y siocled a'r menyn mewn powlen dros sosban o ddŵr sy'n mudferwi. Tynnwch y bowlen oddi ar y gwres a'i rhoi i'r naill ochr i oeri rhywfaint.

Chwisgiwch 200g o'r siwgr gyda'r 6 melynwy am 3 munud â chwisg drydan nes bod y cyfan yn olau a thrwchus. Ychwanegwch y siocled a'r menyn wedi toddi, a'r fanila, a chymysgu'n dda â'r chwisg.

Mewn powlen lân, chwisgiwch y gwynnwy â chwisg drydan nes ei fod yn ewynnog. Yna ychwanegwch y 50g o siwgr sy'n weddill a pharhau i guro nes ei fod yn codi'n bigau stiff.

Ychwanegwch draean y gwynnwy at y cymysgedd siocled a chymysgu'n dda. Fe fydd hyn yn helpu i lacio'r cymysgedd cyn i chi ychwanegu'r gweddill.

Nawr ychwanegwch weddill y cymysgedd gwynnwy a'i blygu i mewn yn ofalus â llwy fetel y tro hwn er mwyn cadw cymaint o aer â phosib ynddo.

Rhowch y cymysgedd yn y tun a'i goginio am rhwng 50 munud ac awr, nes bod sgiwer a osodir yng nghanol y gacen yn dod allan yn lân.

Gadewch i'r gacen oeri yn y tun ac yna'i throsglwyddo i'r oergell am 2 awr cyn ei bwyta. Peidiwch â thrio ei bwyta'n syth o'r popty – fe fydd hi lawer yn rhy wlyb.

Dwi'n hoffi ei gweini hi gydag ychydig o hufen neu *crème fraîche* a digon o ffrwythau ffres fel mafon neu fefus.

Cacen orennau bach a Marmalêd

Mae Johny fy ngŵr yn dweud mai dyma ei hoff gacen o blith fy holl ryseitiau i! Clod mawr, felly dwi'n gobeithio y bydd hi'n eich plesio chi i'r un graddau. Mae'r gacen yn ffrwydro â blas oren o'r marmalêd a'r orennau bach melys ar y top.

4 oren bach
(rhywbeth fel
clementines)

400g o siwgr mân

400ml o ddŵr

200g o fenyn heb halen

3 wy

4 llwy fwrdd o farmalêd

250g o flawd codi

2 lwy fwrdd o laeth

Cynheswch y popty i 180°C / Ffan 160°C / Nwy 4 ac iro a leinio tun crwn sy'n 5cm o ddyfnder ac yn 20cm ar draws.

Torrwch yr orennau yn sleisys tua 0.5cm o faint gan gael gwared ar y 2 ben a'r hadau.

Rhowch 200g o'r siwgr mewn sosban gyda'r dŵr a'u cynhesu nes bod y siwgr wedi toddi. Yna ychwanegwch y sleisys oren a'u coginio am 5 munud, nes eu bod yn feddal ond yn cadw eu siâp. Tynnwch y sleisys oren o'r surop siwgr a'u rhoi i'r naill ochr.

Parhewch i ferwi'r surop nes ei fod yn ludiog. Tynnwch y sosban oddi ar y gwres.

Curwch y menyn am funud â chwisg drydan. Yna ychwanegwch weddill y siwgr a churo am 4 munud arall nes bod y cyfan yn ysgafn ac yn olau. Ychwanegwch yr wyau un ar y tro, gan gymysgu pob un yn dda cyn ychwanegu'r nesaf.

Nawr ychwanegwch y marmalêd a chymysgu, cyn plygu'r blawd i mewn, ac yna'r llaeth.

Gorchuddiwch waelod y tun â'r orennau. Rhowch gymysgedd y gacen am eu pennau'n ofalus gan sicrhau nad yw'r orennau'n symud.

Coginiwch am awr neu nes bod sgiwer a osodir yng nghanol y gacen yn dod allan yn lân. Gadewch i'r gacen oeri yn y tun am ychydig a'i throi hi allan ben i waered.

Bydd yr orennau ar y top nawr. Defnyddiwch sgiwer i wneud ychydig o dyllau yn y gacen, a thywallt y surop y coginiwyd yr orennau ynddo drosti. Cadwch unrhyw beth sy'n weddill yn yr oergell a'i weini dros iogwrt neu gyda ffrwythau ffres.

Defnyddiwch farmalêd cartref neu'r un gorau y gallwch ei brynu, gan ei fod yn hollbwysig i flas y gacen. Marmalêd sydd ychydig yn chwerw sydd orau, er mwyn atal y gacen rhag bod yn rhy felys.

Cacen siocled gwyn a chardamom

Dwi wrth fy modd â chardamom. Mae'r rhan fwyaf ohonom wedi arfer defnyddio'r sbeis hwn mewn cyrri, ond yn India, y Dwyrain Canol ac mewn sawl gwlad Sgandinafaidd mae hefyd yn boblogaidd iawn mewn pwdinau a chacennau. Efallai y cofiwch imi ei ddefnyddio yn y rysáit ar gyfer *panacotta* coconyt a chardamom yn fy llyfr cyntaf, *Paned a Chacen*. Mae'r sbeis peraroglus yn mynd yn berffaith gyda siocled gwyn, sy'n gallu bod yn llawer rhy felys ar ei ben ei hun.

150g o fenyn heb halen

150g o siwgr mân

2 wy

200g o flawd codi

1 llwy de o gardamom mâl

3 llwy fwrdd o laeth

200g o siocled gwyn

Cynheswch y popty i 180°C / Ffan 160°C / Nwy 4 ac iro a leinio tun torth 2 bwys.

Curwch y menyn am funud â chwisg drydan. Yna ychwanegwch y siwgr a churo am 4 munud arall nes bod y cymysgedd yn ysgafn ac yn olau.

Ychwanegwch yr wyau un ar y tro, gan gymysgu pob un yn dda cyn ychwanegu'r nesaf.

Hidlwch y blawd i mewn i'r cymysgedd cyn ychwanegu'r cardamom a'u plygu i mewn â *spatula* neu lwy.

Ychwanegwch y llaeth ac yna 150g o'r siocled gwyn, wedi'i dorri'n fân, a chymysgu'r cyfan.

Rhowch y cymysgedd yn y tun a'i bobi am awr.

Gadewch i'r gacen oeri yn y tun am 5 munud, cyn ei thynnu allan a'i rhoi ar rwyll fetel i oeri rhagor.

Yn y cyfamser, toddwch y siocled gwyn sy'n weddill mewn powlen dros sosban o ddŵr sy'n mudferwi. Tywalltwch y siocled dros y gacen.

Myffins llus a choriander

Dwi wedi bod yn trio creu'r myffins perffaith ers blynyddoedd – rhai mawr ysgafn fel y byddwch chi'n eu cael mewn siopau coffi Americanaidd. Ond roedd pob un yn rhy drwm ac yn rhy debyg i gacen fach… tan i fi greu'r rysáit yma. Y gyfrinach? Peidio â chymysgu'n ormodol, yn wahanol iawn i'r hyn sy'n arferol wrth wneud cacennau. Mae'r powdr coriander yn helpu i ddwysáu blas y llus (*blueberries*). Mae'r crymbl ar y top yn cyferbynnu â sbwng meddal y myffins.

100g o fenyn heb halen
275g o flawd plaen
175g o siwgr mân
2 lwy de o bowdr codi
1 llwy de o soda pobi
½ llwy de o halen
½ llwy de o bowdr coriander mâl
240g o iogwrt plaen
2 wy
140g o lus

Ar gyfer y crymbl
25g o flawd plaen
2 lwy fwrdd o siwgr demerara
15g o fenyn oer

Digon i wneud 12 myffin

Cynheswch y popty i 180°C / Ffan 160°C / Nwy 4 a rhoi 12 ces myffin mawr mewn tun myffins.

Toddwch y menyn a'i roi i'r naill ochr i oeri.

Cymysgwch yr holl gynhwysion sych mewn powlen fawr. Does dim angen hidlo'r blawd.

Mewn powlen arall, cymysgwch y menyn wedi toddi, yr iogwrt a'r wyau.

Ychwanegwch y cynhwysion gwlyb at y cynhwysion sych a'u cymysgu â llwy nes eu bod yn dechrau cyfuno. Peidiwch â gorgymysgu – mae'n iawn gadael lympiau o flawd yn y cymysgedd.

Ychwanegwch y llus a chymysgu'n ofalus eto.

Er mwyn gwneud y crymbl i fynd ar ben y myffins, cymysgwch y blawd a'r siwgr mewn powlen. Torrwch y menyn yn ddarnau bach a'u rhwbio i mewn â blaenau eich bysedd nes bod y cyfan yn edrych fel briwsion.

Rhannwch y cymysgedd myffins rhwng y 12 ces ac ysgeintio rhywfaint o'r crymbl drostyn nhw.

Coginiwch am 25 munud, nes bod y myffins yn euraidd, ac yna'u rhoi ar rwyll fetel i oeri.

Pwdin i bob achlysur

Does yr un pryd bwyd yn gyflawn yn fy myd heb rywbeth melys ar y diwedd. Dwi ddim yn disgwyl pwdin moethus na chymhleth ar ôl swper hwyr canol wythnos, ond mae'n rhaid i fi gael rhywbeth, hyd yn oed os yw'n bwdin syml fel iogwrt a ffrwythau. Waeth pa mor syml, a boed o'n boeth neu'n oer, mae pwdin yn gallu troi pryd digon cyffredin yn brofiad blasus.

Wrth gwrs, ar benwythnosau, pan mae gen i ddigon o amser i botsian yn y gegin, dwi'n hoffi gwneud rhywbeth ychydig yn fwy cymhleth. Rhyw fath o darten fel arfer, yn enwedig pan mae'r ffrwythau ar eu gorau. A dyna'n union wnes i pan roddodd cyd-weithiwr lond bocs o geirios i mi o'r ardd, gan greu tarten cwstard a cheirios hyfryd.

Does ots beth yw'r achlysur, mae hufen iâ wastad yn plesio. Fe ges i hufen iâ pralin hallt mewn bwyty unwaith ac ro'n i'n gwybod yn syth y byddai'n rhaid i mi ei greu gartref fy hun. Ers i mi gael benthyg peiriant hufen iâ dwi ddim wedi stopio arbrofi â blasau gwahanol, a dwi wedi cynnwys fy hoff ryseitiau yn y llyfr hwn.

Wrth gwrs, mae peiriant yn gwneud bywyd yn haws ac yn creu hufen iâ gwell o ran ansawdd, ond does dim rhaid cael un. Os nad oes gennych beiriant, rhowch yr hufen iâ mewn bocs plastig a chaead arno a'i roi yn y rhewgell am ychydig oriau. Pan fydd yn dechrau rhewi o gwmpas yr ochrau, defnyddiwch fforc i gymysgu'r cynnwys. Gwnewch yr un peth bob awr nes ei fod wedi rhewi'n llwyr. Fe fydd hyn yn sicrhau nad oes crisialau mawr o rew yn ffurfio.

Dydy'r dull hwn ddim yn gwneud hufen iâ cweit cystal â pheiriant ac mae'n rhaid ei adael i ddadmer ychydig cyn ei weini, ond mae'n dal i flasu'n dda. Os ydych chi'n gwneud hufen iâ heb beiriant, mae'n help ychwanegu sloch o alcohol, gan fod hynny'n golygu na fydd yn rhewi mor galed. Mae fodca'n ddewis da am nad oes blas iddo.

Crème brûlée gwsberis

Dyma fy newis cyntaf i mewn bwyty. Dwi'n cael pleser mawr o dorri drwy'r siwgr caled â llwy a bwyta'r cwstard wy euraidd oddi tano. Mae'r pwdinau hyn yn hynod o foethus ond dydyn nhw ddim yn anodd i'w gwneud. Mae'r gwsberis (*gooseberries*) yn rhoi cic ychydig yn sur i gyferbynnu â'r cwstard melys. Bydd angen eu gwneud o flaen llaw er mwyn gadael iddyn nhw oeri.

350g o gwsberis

2 lwy fwrdd o siwgr mân ar gyfer y gwsberis

1 llwy fwrdd o ddŵr

500ml o hufen dwbl

1 coden fanila

4 melynwy

2 lwy fwrdd o siwgr mân ar gyfer y cwstard

4 llwy fwrdd arall o siwgr mân i greu'r haen o siwgr caled

Digon i wneud 6 phwdin bach mewn dysglau ramecin

Torrwch bennau a gwaelodion y gwsberis â siswrn ac yna golchi'r ffrwythau. Rhowch nhw mewn sosban gyda'r siwgr a'r dŵr a'u stiwio nes eu bod yn feddal ond yn dal i gadw rhywfaint o'u siâp. Gadewch iddyn nhw oeri'n llwyr.

Yn y cyfamser, cynheswch y popty i 160°C / Ffan 140°C / Nwy 3.

Rhowch yr hufen mewn sosban arall, yna torri'r goden fanila ar ei hyd a chrafu'r hadau allan. Ychwanegwch yr hadau fanila a'r goden sy'n weddill at yr hufen a'i gynhesu ar dymheredd cymedrol nes ei fod yn dechrau dod i'r berw.

Yn y cyfamser, cymysgwch y melynwy a'r siwgr mewn powlen. Pan fo'r hufen yn dechrau berwi, tynnwch y goden fanila allan a thywallt yr hufen dros yr wyau a'r siwgr, gan eu chwisgio drwy'r amser â chwisg law.

Rhowch haen o gwsberis ar waelod pob dysgl ramecin ac yna'u llenwi â'r cwstard. Rhowch y dysglau ramecin mewn tun rhostio gweddol ddwfn a thywallt digon o ddŵr oer o'u cwmpas nes ei fod yn cyrraedd ⅔ o'r ffordd i fyny ochrau'r dysglau.

Coginiwch nhw yn y popty am 40 munud nes bod y cwstard wedi setio ond yn dal i grynu rhywfaint yn y canol wrth ei ysgwyd.

Gadewch iddyn nhw oeri ar dymheredd ystafell cyn eu rhoi yn yr oergell i oeri'n llwyr.

Pan fyddwch yn barod i'w gweini, ysgeintiwch haen o siwgr drostyn nhw a'u rhoi o dan y gril nes bod y siwgr yn toddi ac yn brownio.

Gallwch ddefnyddio lamp losgi i doddi'r siwgr ar eu pennau cyn eu gweini, fel cogyddion proffesiynol, ond dwi'n eu rhoi nhw o dan y gril.

Eirin gwlanog wedi'u potsio

Mae hwn yn bwdin perffaith pan mae eirin gwlanog (*peaches*) ar eu gorau. Ond hyd yn oed os yw'r ffrwythau ychydig yn galed neu ddim yn ddigon aeddfed, bydd eu potsio mewn saws melys a phersawrus yn eu gweddnewid yn llwyr. Mae eirin cynnes yn hyfryd gyda hufen iâ, ond maen nhw hefyd yn flasus iawn yn oer ar ben iogwrt. A pheidiwch â thaflu diferyn o'r saws sydd dros ben – rhowch ef yn yr oergell a'i weini dros hufen iâ fanila.

4 eirinen wlanog
1 litr o ddŵr
300g o siwgr mân
1 bonyn sinamon
Croen ½ lemon wedi'i blicio'n ddarnau reit fawr â phliciwr tatws
3 coeden anis (*star anise*)
½ coden fanila

Torrwch yr eirin gwlanog yn eu hanner a thynnu'r cerrig allan.

Rhowch y dŵr, y siwgr, y sinamon, y croen lemon, y coed anis a'r goden fanila mewn sosban a'u berwi nes bod y siwgr yn toddi.

Gostyngwch y tymheredd ac ychwanegu'r eirin.

Coginiwch am 10–15 munud nes bod yr eirin yn feddal ond yn dal i gadw'u siâp (bydd yr amser yn dibynnu ar ba mor aeddfed yw'r eirin, felly cadwch olwg arnyn nhw).

Tynnwch yr eirin allan a'u rhoi mewn powlen. Berwch y surop am rai munudau eto fel ei fod yn tewychu.

Tynnwch y croen oddi ar yr eirin a thywallt ychydig o'r saws drostyn nhw. Gweinwch yn syth gyda hufen iâ neu adael iddyn nhw oeri a'u bwyta gydag iogwrt plaen.

Tarten almon a gellyg

Mae gellyg meddal, sbwnj almon melys a chrwst menyn yn gyfuniad clasurol ac wastad yn fy atgoffa o wyliau haf yn Ffrainc. Hyd yn oed os nad oes *patisserie* bach Ffrengig rownd y gornel i chi, mae'n bosib gwneud tarten debyg eich hun heb ormod o drafferth. Yn ddelfrydol, defnyddiwch ffrwythau ffres pan mae'n dymor gellyg, ond mae'r darten yn flasus gyda gellyg tun hefyd.

Ar gyfer y crwst

330g o flawd plaen

200g o fenyn
heb halen, oer

75g o siwgr mân

1 wy

1 llwy fwrdd o ddŵr oer

Ar gyfer y llenwad

200g o fenyn heb halen

200g o siwgr mân

200g o almonau mâl

50g o flawd codi

3 wy

3 gellygen

Sudd ½ lemon

2 lwy fwrdd o jam bricyll

1 llwy fwrdd o
ddŵr berwedig

I wneud y toes, rhowch y blawd mewn powlen a thorri'r menyn yn ddarnau bach. Rhwbiwch y menyn i mewn i'r blawd â blaenau eich bysedd nes bod y cyfan yn edrych fel briwsion.

Ychwanegwch y siwgr a chymysgu. Yna ychwanegwch yr wy a'r dŵr a chymysgu nes bod y cyfan yn dod at ei gilydd i ffurfio pêl.

Tylinwch y toes am funud er mwyn sicrhau ei fod yn llyfn, yna ffurfiwch bêl ohono eto, ei lapio mewn papur gwrthsaim a'i roi yn yr oergell am o leiaf 30 munud.

Ar ôl i'r toes oeri, ysgeintiwch ychydig o flawd ar y bwrdd. Rholiwch y toes nes ei fod yn 3mm o drwch ac ychydig yn fwy na maint y tun, sef tun tarten 25cm â gwaelod rhydd. Rhowch y toes yn y tun (does dim angen ei iro) a'i wasgu i mewn i'r ochrau yn ofalus.

Torrwch unrhyw does sy'n weddill i ffwrdd drwy rolio'r pin rholio dros y tun. Prociwch waelod y toes i gyd â fforc.

Rhowch y tun yn y rhewgell am 10 munud a chynhesu'r popty i 180°C / Ffan 160°C / Nwy 4.

Rhowch ddarn o bapur gwrthsaim ar ben y toes a'i orchuddio â ffa pobi. Coginiwch am 15 munud, yna tynnwch y ffa a'r papur allan a rhoi'r tun yn ôl yn y popty am 5 munud.

Wrth i'r toes goginio, gwnewch y llenwad trwy gymysgu'r menyn, y siwgr, yr almonau, y blawd a'r wyau i gyd ar unwaith â chwisg drydan nes bod y cyfan yn llyfn.

Pliciwch y gellyg, eu torri yn eu hanner a thynnu'r canol allan. Os ydych yn defnyddio gellyg tun, gwnewch yn siŵr eich bod yn eu sychu â phapur cegin.

Gwnewch sawl toriad â chyllell finiog ar hyd ochr grom pob hanner gellygen. Byddwch yn ofalus nad ydych chi'n torri'r holl ffordd drwy'r ffrwyth. Yna gorchuddiwch y gellyg â sudd lemon er mwyn eu hatal rhag troi'n frown.

Pan mae'r crwst yn barod, llenwch y darten â'r cymysgedd almon a gosod y gellyg ar ei ben, â'r ochrau â thoriadau ynddyn nhw yn wynebu at i fyny.

Rhowch y darten yn ôl yn y popty am 30 munud arall, nes bod y sbwnj wedi brownio.

Unwaith mae'r darten allan o'r popty, cynheswch y jam bricyll mewn sosban â llond llwy fwrdd o ddŵr berwedig nes ei fod yn llyfn. Brwsiwch y jam dros y darten er mwyn rhoi sglein iddi.

Tarten ceirios a chwstard

Fe benderfynais i greu'r rysáit hon pan ddaeth cyd-weithiwr caredig â llond bocs o geirios ffres i mi o'i ardd un dydd. Mae'n bwdin perffaith ar gyfer yr haf, pan mae digonedd o geirios ar gael. Ffrwythau melys yn gorwedd mewn cwstard trwchus, hufennog – beth sy'n well?

Ar gyfer y crwst

330g o flawd plaen

200g o fenyn
heb halen, oer

75g o siwgr mân

1 wy

1 llwy fwrdd o ddŵr oer

Ar gyfer y llenwad

300g o geirios

350ml o hufen dwbl

50ml o laeth

5 melynwy

60g o siwgr mân

Mae cyllell finiog yn gwneud y tro yn iawn i dynnu'r cerrig o'r ceirios.

I wneud y toes, rhowch y blawd mewn powlen a thorri'r menyn yn ddarnau bach. Rhwbiwch y menyn i mewn i'r blawd â blaenau eich bysedd nes bod y cyfan yn edrych fel briwsion.

Ychwanegwch y siwgr a chymysgu. Yna ychwanegwch yr wy a'r dŵr a chymysgu nes bod y cyfan yn dod at ei gilydd i ffurfio pêl.

Tylinwch y toes am funud er mwyn sicrhau ei fod yn llyfn, yna ffurfiwch bêl ohono eto, ei lapio mewn papur gwrthsaim a'i roi yn yr oergell am o leiaf 30 munud.

Ysgeintiwch ychydig o flawd ar y bwrdd. Rholiwch y toes nes ei fod yn 3mm o drwch ac ychydig yn fwy na maint y tun, sef tun tarten 25cm â gwaelod rhydd. Rhowch y toes yn y tun (heb ei iro) a'i wasgu i mewn i'r ochrau yn ofalus.

Torrwch unrhyw does sy'n weddill i ffwrdd drwy rolio'r pin rholio dros y tun, yna prociwch waelod y toes i gyd â fforc.

Rhowch y tun yn y rhewgell am 10 munud. Yn y cyfamser, cynheswch y popty i 180°C / Ffan 160°C / Nwy 4. Rhowch ddarn o bapur gwrthsaim ar ben y toes a'i orchuddio â ffa pobi.

Coginiwch am 15 munud, yna tynnwch y ffa a'r papur allan a rhoi'r tun yn ôl yn y popty am 5 munud arall nes bod y crwst yn euraidd.

Torrwch y ceirios yn eu hanner a thynnu'r cerrig allan. Mae hyn yn waith diflas ond does neb eisiau canfod carreg yn eu pwdin. Cynheswch yr hufen a'r llaeth mewn sosban nes bod yr hylif bron â berwi.

Mewn powlen, cymysgwch y melynwy a'r siwgr â chwisg law. Yna tywalltwch y cymysgedd hufen poeth drostyn nhw, gan wneud yn siŵr eich bod yn parhau i gymysgu drwy'r amser.

Rhowch y cyfan yn ôl yn y sosban a'i gynhesu ar wres isel, gan droi'r hylif drwy'r amser â llwy bren nes iddo dewychu. Does dim angen iddo fod yn rhy drwchus gan y bydd yn coginio yn y popty hefyd.

Pan mae'r crwst yn barod, trowch y popty lawr i 170°C / Ffan 150°C / Nwy 3. Rhowch y ceirios yn y darten a'u gorchuddio â'r cwstard.

Coginiwch am 40–45 munud arall nes bod y cwstard wedi setio.

Gadewch i'r darten oeri'n llwyr yn y tun a'i rhoi yn yr oergell nes eich bod yn barod i'w gweini.

Tartenni bach meringue lemon

Dwi'n aml yn dewis pwdin lemon i orffen swper mawr. Mae'r lemon siarp yn sicrhau nad yw'n rhy gyfoethog. Mae'r tartenni *meringue* lemon bach hyn yn berffaith ar gyfer achlysur arbennig, gan eich bod yn cael un yr un yn hytrach na gorfod rhannu tarten fawr.

Ar gyfer y crwst
330g o flawd plaen
200g o fenyn heb halen, oer
75g o siwgr mân
1 wy
1 llwy fwrdd o ddŵr oer

Ar gyfer y llenwad
1 tun o laeth cyddwysedig (*condensed milk*)
3 wy wedi'u rhannu yn felynwy a gwynnwy
Croen a sudd 3 lemon
150g o siwgr mân

Digon i wneud 8 tarten fach os defnyddir tuniau unigol sy'n 10cm ar draws a 3cm o ddyfnder

Rhowch y blawd mewn powlen a thorri'r menyn yn ddarnau bach. Rhwbiwch y menyn i mewn i'r blawd â blaenau eich bysedd nes bod y cymysgedd yn edrych fel briwsion.

Ychwanegwch y siwgr a chymysgu â llwy, yna ychwanegwch yr wy a'r dŵr a chymysgu â llaw nes bod y cyfan yn dod at ei gilydd i ffurfio pêl.

Tylinwch y toes am funud er mwyn sicrhau ei fod yn llyfn, yna ffurfiwch bêl ohono eto, ei lapio mewn papur gwrthsaim a'i roi yn yr oergell am o leiaf 30 munud.

Ar ôl iddo oeri, rholiwch y toes nes ei fod yn 3mm o drwch a thorri cylchoedd ynddo i ffitio'r tuniau. Rhowch y toes yn y tuniau a'i wasgu i mewn i'r ochrau yn ofalus. Torrwch unrhyw does sy'n weddill i ffwrdd trwy rolio'r pin rholio ar draws top y tun.

Prociwch waelod pob tarten i gyd â fforc a rhoi'r tuniau yn y rhewgell am 10 munud. Yn y cyfamser, cynheswch y popty i 180°C / Ffan 160°C / Nwy 4.

Rhowch ychydig o bapur gwrthsaim ar ben y toes, llenwi'r tuniau â ffa pobi a'u rhoi yn y popty am 15 munud. Yna tynnwch y pys a'r papur gwrthsaim allan a choginio'r tartenni am 5 munud arall nes bod y crwst yn euraidd.

I wneud y llenwad, rhowch y llaeth cyddwysedig mewn powlen. Ychwanegwch y 3 melynwy, y croen lemon wedi'i gratio'n fân a'r sudd lemon a chymysgu'n dda. Fe fydd y cyfan yn mynd yn fwy trwchus o'i gymysgu a bydd yn ddigon tew i chi allu peipio'r *meringue* arno ar ôl ychydig funudau.

I baratoi'r *meringue*, rhowch y 3 gwynnwy mewn powlen lân a'u chwisgio â chwisg drydan nes eu bod yn drwchus ond ddim yn hollol stiff. Yna ychwanegwch y siwgr mân, 1 llwy ar y tro, gan chwisgio'n drwyadl bob tro. Ar ôl ychwanegu'r holl siwgr, parhewch i chwisgio nes bod y cymysgedd *meringue* yn sgleinio ac yn creu pigau.

Llenwch y cesys â'r llenwad lemon. Yna rhowch y cymysgedd *meringue* mewn bag peipio a pheipio pigau dros y llenwad lemon. Os nad ydych yn peipio'r meringue, defnyddiwch lwy gan greu pigau â chefn y llwy.

Rhowch y tartenni yn ôl yn y popty am 20 munud nes bod y *meringue* yn dechrau brownio. Bwytewch nhw yn gynnes neu'n oer.

Hufen iâ crymbl rhiwbob

Dwi'n caru rhiwbob a phan ges i lond bag gan fy rhieni yng nghyfraith roeddwn yn awyddus i wneud rhywbeth gwahanol â nhw. Ar y pryd roedden ni yng nghanol tywydd gogoneddus, felly dyma benderfynu gwneud hufen iâ. Mae'r rhiwbob sawrus yn cyferbynnu'n effeithiol â'r hufen melys – wel, mae rhiwbob a chwstard yn glasur. Ond dwi'n hoffi rhywfaint o waith cnoi i fy hufen iâ hefyd, felly dyma ychwanegu'r crymbl. Dyma un o fy hoff ryseitiau erbyn hyn.

Ar gyfer y rhiwbob
400g o riwbob
150g o siwgr mân
1 llwy fwrdd o sudd lemon

Ar gyfer y crymbl
80g o flawd plaen
50g o fenyn heb halen, oer
40g o siwgr brown meddal
40g o geirch

Dechreuwch drwy goginio'r rhiwbob a'r crymbl. Mae angen gadael iddyn nhw oeri cyn gwneud yr hufen iâ.

Cynheswch y popty i 210°C / Ffan 190°C / Nwy 7.

Torrwch y rhiwbob yn ddarnau 2.5cm o hyd a'u rhoi mewn dysgl sy'n addas i fynd i'r popty. Ysgeintiwch y siwgr mân a'r sudd lemon drostyn nhw a'u coginio am 30 munud.

Yn y cyfamser, gwnewch y crymbl drwy dorri'r menyn yn ddarnau bach a'u rhwbio i mewn i'r blawd â blaenau eich bysedd nes bod y cyfan yn edrych fel briwsion. Yna ychwanegwch y siwgr brown a'r ceirch a chymysgu.

Taenwch y cymysgedd ar dun pobi a'i goginio yn y popty ar yr un gwres â'r rhiwbob am 10 munud nes bod y crymbl yn dechrau brownio. Trowch y crymbl hanner ffordd trwy'r amser coginio fel ei fod yn brownio ar bob ochr. Gadewch i'r crymbl oeri'n llwyr.

Gadewch i'r rhiwbob oeri rhywfaint, yna rhowch nhw mewn prosesydd bwyd neu *blender* a'u prosesu nes bod y cymysgedd yn llyfn. Yna rhowch y cymysgedd yn yr oergell i oeri'n llwyr.

Er mwyn gwneud yr hufen iâ, curwch y melynwy a'r siwgr mân mewn powlen.

Rhowch y llaeth mewn sosban a thorri'r goden fanila yn ei hanner ar ei hyd, gan grafu'r hadau allan â chyllell. Ychwanegwch yr hadau at y llaeth, yn ogystal â'r goden fanila ei hun, a'u cynhesu nes bod yr hylif bron â dod i'r berw.

Ar gyfer yr hufen iâ
4 melynwy
150g o siwgr mân
450ml o laeth
braster llawn
½ coden fanila
300ml o hufen dwbl

Tynnwch y goden fanila allan a thywallt y llaeth cynnes dros yr wyau a'r siwgr, gan chwisgio drwy'r amser â chwisg law.

Rhowch y cyfan yn ôl yn y sosban a'i ailgynhesu ar dymheredd isel. Fe ddylech droi'r cymysgedd â llwy bren drwy gydol yr amser, nes ei fod yn tewychu. Dylai'r cwstard fod yn ddigon trwchus i orchuddio cefn y llwy, ond gwnewch yn siŵr nad yw'n berwi o gwbl.

Tynnwch y sosban oddi ar y gwres a rhoi'r cwstard yn ôl mewn powlen, â haen o *cling film* yn uniongyrchol ar wyneb y cwstard er mwyn atal croen rhag ffurfio. Gadewch iddo oeri.

Unwaith y bydd popeth wedi oeri, ychwanegwch yr hufen a'r rhiwbob at y cwstard a chymysgu'n dda.

Rhowch y cymysgedd yn y peiriant hufen iâ, gan ddilyn y cyfarwyddiadau. Pan fydd yn dechrau mynd yn drwchus ac yn rhewi, ychwanegwch y crymbl a'i gymysgu am ychydig funudau eto. Pan fydd yn barod, rhowch yr hufen iâ mewn bocs a chaead arno yn y rhewgell.

Os nad oes gennych chi beiriant hufen iâ, rhowch yr hufen iâ yn syth mewn bocs plastig a chaead arno a'i rewi am 2 awr. Yna tynnwch ef allan o'r rhewgell a'i gymysgu'n dda â chwisg neu fforc. Gwnewch hyn bob awr, a phan fydd yn ddigon trwchus gallwch ychwanegu'r crymbl. Tynnwch yr hufen iâ o'r rhewgell 10 munud cyn ei weini.

Hufen iâ pralin hallt

Pan welais i'r hufen iâ yma mewn bwyty roedd yn rhaid ei drio. Ches i mo fy siomi. Mae'n felys ac yn hallt a'r cnau yn y pralin yn ychwanegu rhywfaint o waith cnoi i'r hufen iâ llyfn. Dwi'n hoffi defnyddio Halen Môn fanila wrth wneud caramel hallt, gan ei fod yn rhoi blas ychwanegol.

Ar gyfer y pralin
30g o gnau pecan
150g o siwgr mân
2 lwy de o Halen Môn fanila

Ar gyfer yr hufen iâ
4 melynwy
85g o siwgr mân
Pinsied o halen môr
425ml o hufen sengl

Dechreuwch drwy dostio'r cnau pecan mewn padell ffrio heb olew am ychydig funudau. Trowch nhw'n gyson i'w hatal rhag llosgi.

Cynheswch y siwgr mewn sosban drom nes ei fod yn carameleiddio ac yn troi'n lliw brown tywyll. Ychwanegwch yr halen a'r cnau pecan a thywallt y cyfan ar dun pobi metel wedi'i iro ag ychydig o olew. Gadewch iddo oeri.

Pan fo'r pralin wedi caledu, torrwch ef yn ddarnau â'ch dwylo cyn ei falu'n fân mewn prosesydd bwyd, neu ei roi mewn bag plastig a'i daro â phin rholio.

Nawr gwnewch yr hufen iâ drwy guro'r melynwy, y siwgr a'r halen mewn powlen.

Cynheswch yr hufen mewn sosban nes ei fod yn dechrau dod i'r berw. Ychwanegwch yr hufen at yr wyau yn araf, gan chwisgio drwy gydol yr amser â chwisg law.

Rhowch yr holl gymysgedd yn ôl yn y sosban a'i gynhesu dros dymheredd isel. Trowch y cymysgedd â llwy bren drwy gydol yr amser nes bod y cwstard yn drwchus. Tynnwch y sosban oddi ar y gwres a rhoi'r cwstard mewn powlen lân, gan osod haen o *cling film* ar wyneb y cwstard er mwyn atal croen rhag ffurfio, a'i adael i oeri.

Unwaith y bydd y cwstard wedi oeri, ychwanegwch y pralin ato a'i drosglwyddo i'r peiriant hufen iâ, gan ddilyn cyfarwyddiadau'r gwneuthurwyr. Pan fydd yn barod rhowch yr hufen iâ mewn bocs a chaead arno yn y rhewgell. Ewch i dudalen 57 i weld sut mae gwneud hufen iâ heb beiriant pwrpasol.

Hufen iâ bara brown a marmalêd

Efallai fod bara brown a marmalêd yn swnio fel blas rhyfedd iawn ar gyfer hufen iâ, ond dwi'n eich annog i'w drio – mae'n flasus dros ben. Gwnewch yn siŵr eich bod yn defnyddio'r marmalêd gorau y gallwch ei brynu, neu un cartref wrth gwrs.

80g o friwsion bara brown

65g o siwgr brown meddal

10g o fenyn heb halen

400ml o hufen dwbl

3 llwy fwrdd o siwgr eisin

3 llwy fwrdd o farmalêd

Rhowch y briwsion bara yn haen denau ar dun pobi.

Ysgeintiwch y siwgr dros y briwsion, ac yna torri'r menyn yn ddarnau bach a'u gwasgaru dros y cyfan.

Rhowch y tun o dan gril poeth am ychydig funudau nes bod y briwsion yn brownio. Trowch y cymysgedd drosodd fel eich bod yn brownio'r briwsion bob ochr.

Rhowch yr hufen, y siwgr eisin a'r marmalêd mewn powlen a'u cymysgu â chwisg law.

Rhowch y cymysgedd yn y peiriant hufen iâ, gan ddilyn cyfarwyddiadau'r gwneuthurwyr. Pan fo'r hufen iâ yn dechrau rhewi ond yn dal i fod yn weddol feddal, stopiwch y peiriant ac ychwanegu'r briwsion bara. Cymysgwch eto am ychydig funudau ac yna'i roi mewn bocs a chaead arno yn y rhewgell. Ewch i dudalen 57 i weld sut mae gwneud hufen iâ heb beiriant pwrpasol.

Iogwrt mwyar duon wedi rhewi

Mae iogwrt wedi rhewi'n boblogaidd iawn fel pwdin braster isel ar hyn o bryd, yn lle hufen iâ. Ond dydy'r diffyg braster ddim yn golygu ei fod yn blasu'n ddiflas, a hynny gan ei fod yn llawn ffrwythau ffres. Mwyar duon dwi wedi'u defnyddio fan hyn, gan fod gen i lond clawdd ohonyn nhw yn yr ardd, ac maen nhw'n rhoi lliw piws naturiol hyfryd i'r iogwrt. Ond gallwch ddefnyddio unrhyw aeron eraill, beth bynnag sy'n ffres ac yn flasus ar y pryd.

250g o fwyar duon

100g o siwgr mân

500g o iogwrt plaen braster isel

Rhowch y mwyar duon a'r siwgr mewn prosesydd bwyd a'u malu'n fân.

Gwasgwch y cyfan drwy ridyll er mwyn cael gwared ar yr hadau.

Ychwanegwch yr iogwrt a chymysgu'n dda.

Rhowch y cyfan mewn peiriant hufen iâ, gan ddilyn cyfarwyddiadau'r gwneuthurwyr. Yna rhowch ef mewn bocs plastig a chaead arno a'i roi yn y rhewgell. Ewch i dudalen 57 i weld sut mae gwneud hufen iâ heb beiriant pwrpasol.

Tynnwch yr iogwrt wedi rhewi o'r rhewgell 10 munud cyn ei weini.

Dant Melys

Fel y gwyddoch erbyn hyn, mae gen i ddant melys, ond dydy bariau siocled gorfelys, rhad o'r siop ddim yn fy nenu o gwbl. Ond rhowch siocledi bach cartref neu *macarons* Ffrengig i mi gyda choffi a dwi'n fodlon fy myd.

Un o'r pethau gorau am gael pryd mewn bwyty crand yw'r detholiad hyfryd o *petit fours* rydych chi'n eu cael gyda choffi ar ddiwedd y pryd. A chithau'n meddwl na allwch fwyta unrhyw beth arall, mae yna blatiad mawr o gacennau neu fisgedi bach a siocledi cartref yn cael eu gweini. Ac maen nhw mor ddel a delicet fel ei bod yn amhosib eu gwrthod.

Dydyn nhw ddim o reidrwydd yn anodd i'w gwneud chwaith – mae'r siocledi sinsir, y siocledi pistasio a'r *florentines* yn y bennod hon yn hawdd iawn, ond eto maen nhw'n edrych yn arbennig ac yn blasu'n anhygoel.

Mae'r *macarons*, ar y llaw arall, ychydig yn fwy cymhleth a llafurus, ond dwi'n credu eu bod nhw werth yr holl ymdrech. Dwi wedi gwneud rhai rhiwbob, gan roi jam rhiwbob a sinsir cartref yn y canol. Ond unwaith y byddwch wedi meistroli'r rysáit, gallwch arbrofi â'r lliw a'r blas a'u llenwi ag unrhyw beth sy'n mynd â'ch bryd. Mae yna lot o hwyl i'w chael.

Mae'r malws melys hefyd yn gofyn am ychydig o lafur cariad ac yn sicr dydyn nhw ddim yn bethau yr ydych chi'n debygol o'u gwneud bob dydd, ond maen nhw'n siŵr o wneud argraff dda ar unrhyw un sy'n eu trio.

Wrth gwrs, does dim rhaid gweini'r bisgedi, y cacennau na'r danteithion eraill yn y bennod hon fel *petit fours* ar ddiwedd pryd. Maen nhw'n berffaith ar gyfer te prynhawn soffistigedig neu ddathliad arbennig hefyd, ac maen nhw i gyd yn gwneud anrhegion hyfryd wedi'u pacio mewn bocs neu botyn del.

Madeleines

Mae'r cacennau bach Ffrengig yma'n syml iawn, ond mae'r sbwnj ysgafn yn flasus dros ben a blas y menyn yn serennu. Mae angen tun arbennig i greu'r siâp cragen unigryw, ac roeddwn i'n ddigon ffodus i gael un silicon hyfryd yn anrheg gan fy mrawd. Ond fe fyddan nhw yr un mor flasus wedi eu gwneud mewn tun cacennau neu dartenni bach.

2 wy

80g o siwgr mân

1 llwy de o rin fanila

100g o fenyn heb halen (ac ychydig bach yn ychwanegol i iro'r tuniau)

100g o flawd plaen

1 llwy de o bowdr codi

2 lwy de o fêl

Digon i wneud 24 *madeleine* mewn 2 dun

Cynheswch y popty i 180°C / Ffan 160°C / Nwy 4.

Chwisgiwch yr wyau a'r siwgr â chwisg drydan nes eu bod yn ysgafn, yn olau ac wedi dyblu mewn maint.

Ychwanegwch y fanila a chymysgu.

Toddwch y menyn a'i roi i'r naill ochr i oeri rhywfaint.

Hidlwch y blawd a'r powdr codi dros yr wyau a'r siwgr, a'u plygu i mewn yn ofalus â llwy neu *spatula*.

Ychwanegwch y menyn a'r mêl a chymysgu'n ofalus â llwy neu *spatula*.

Toddwch ychydig bach o fenyn ychwanegol a'i frwsio ar y tuniau i'w hiro, yna ysgeintiwch ychydig o flawd drostyn nhw.

Llenwch y 2 dun nes bod pob twll $^2/_3$ yn llawn a choginio'r *madeleines* am 10 munud.

Gadewch iddyn nhw oeri ar rwyll fetel.

Ysgeintiwch y *madeleines* ag ychydig o siwgr eisin cyn eu gweini.

macarons rhiwbob

Mae *macarons* wedi dod yn boblogaidd iawn ac mae'n hawdd deall pam. Maen nhw'n ddel, yn ysgafn ac ar gael ym mhob lliw a blas. Dydyn nhw ddim y pethau hawsaf i'w gwneud, ond y dull hwn, sy'n defnyddio *meringue* Eidalaidd, sy'n rhoi'r canlyniadau gorau i mi.

160g o almonau mâl

160g o siwgr eisin

120g o wynnwy
(tua 4 wy)

Past lliw pinc

150g o siwgr gronynnog

50ml o ddŵr

35g o siwgr mân

Jam rhiwbob cartref
(gweler y rysáit
ar dudalen 69)

Digon i wneud
tua 24 *macaron*

Bydd arnoch angen
thermomedr siwgr ar
gyfer y rysáit hon

Rhowch yr almonau mâl mewn prosesydd bwyd er mwyn eu malu hyd yn oed yn fwy mân. Yna hidlwch nhw i mewn i bowlen er mwyn cael gwared ar unrhyw ddarnau mawr.

Hidlwch y siwgr eisin i mewn i'r un bowlen, cyn ychwanegu 60g o'r gwynnwy a chymysgu nes eu bod yn ffurfio past trwchus.

Ychwanegwch ychydig o'r past lliw. Cofiwch, does dim angen defnyddio lot o bast lliw ond gwnewch yn siŵr fod y lliw yn ddigon cryf, gan y bydd yn gwanhau wrth ichi ychwanegu'r cynhwysion eraill ac wrth i'r *macarons* goginio.

Rhowch y siwgr gronynnog a'r dŵr mewn sosban fach a'u cynhesu. Rhowch y thermomedr yn y sosban a chadw llygad ar y tymheredd.

Rhowch y 60g sy'n weddill o'r gwynnwy mewn powlen lân a'i chwisgio â chwisg drydan ar bŵer cymedrol. Pan fydd y gwynnwy yn edrych yn ewynnog, ychwanegwch y siwgr mân a pharhau i chwisgio nes ei fod yn ffurfio pigau meddal. Dyma'r *meringue*.

Pan fydd y siwgr a'r dŵr yn cyrraedd tymheredd o 118°C, tynnwch y sosban oddi ar y gwres a thywallt yr hylif yn araf bach dros y *meringue*, â'r chwisg yn troi ar gyflymder isel. Ceisiwch osgoi'r chwisg ei hun wrth dywallt yr hylif i mewn.

Ar ôl tywallt yr hylif i gyd i mewn i'r *meringue*, trowch y chwisg i'r cyflymder uchaf a pharhau i chwisgio am 5 munud, neu nes bod y bowlen yn gynnes ond ddim yn boeth. Dylai'r *meringue* fod yn stiff ac yn sgleiniog.

Ychwanegwch lond llwy o'r *meringue* at y past almon a chymysgu er mwyn llacio rhywfaint ar y cymysgedd. Yna ychwanegwch weddill y *meringue* a defnyddio *spatula* neu lwy fetel i blygu'r cymysgedd nes ei fod wedi cyfuno'n llwyr.

Unwaith y byddwch wedi meistroli'r dechneg gallwch arbrofi â blasau gwahanol. Gallwch eu llenwi â jam da o'r siop, eisin menyn neu ganache siocled.

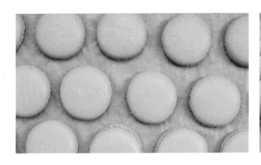

Cymysgwch rhyw 3–4 gwaith eto, gan fynd â'r *spatula* o gwmpas ochr y bowlen ac wedyn i lawr trwy ganol y cymysgedd. Fe fydd y cymysgedd yn barod pan fydd yn dal yn drwchus ond yn disgyn mewn rhubannau oddi ar y *spatula* ac yn setlo'n ôl i'r cymysgedd ar ôl rhyw 10 eiliad. Mae'n hollbwysig nad ydych chi'n gorgymysgu – ni ddylai fod yn rhy denau.

Rhowch drwyn eisio crwn yn eich bag peipio a llenwi'r bag â'r cymysgedd. Leiniwch dun pobi â phapur gwrthsaim a pheipio cylchoedd 2.5cm o ran eu diamedr, gan wneud yn siŵr bod digon o le rhyngddyn nhw gan y byddan nhw'n ehangu rhywfaint. Ceisiwch wneud yn siŵr eich bod chi'n peipio'n syth i lawr, nid ar ongl, gan y bydd hyn yn sicrhau bod y cylchoedd yn codi'n syth hefyd.

Dylai'r cymysgedd wneud tua 48 cylch (24 *macaron* llawn), felly mae'n bosib y bydd angen 3 thun arnoch, neu gallwch eu gwneud nhw un llond tun ar ôl y llall, wrth gwrs. Ar ôl peipio'r cylchoedd, gafaelwch yn y tun pobi a'i daro'n galed ar y bwrdd dair gwaith i sicrhau bod unrhyw swigod aer yn dod i'r top. Os ydych chi'n gweld swigod mawr, defnyddiwch ffon goctel neu bin i'w pigo. Bydd angen i'r cylchoedd orffwys ar dymheredd ystafell am 30 munud, nes eu bod yn teimlo'n sych wrth ichi gyffwrdd y top. Gall gymryd ychydig yn hirach ar ddiwrnod clòs. Peidiwch ag osgoi'r cam hwn – mae'n hollbwysig.

Cynheswch y popty i 170°C / Ffan 150°C / Nwy 3. Pan fo'r cylchoedd yn teimlo'n sych, rhowch y tun ar silff ganol y popty a'u pobi am 12 munud, nes eu bod wedi codi ac yn galed ar y top. Dwi'n coginio un tun ar y tro, gan fod y tymheredd yn amrywio cymaint rhwng y gwahanol silffoedd yn fy mhopty. Pan fyddan nhw'n barod, codwch y papur gwrthsaim yn ofalus o'r tun a gadael i'r *macarons* oeri'n llwyr ar y papur. Yna tynnwch nhw oddi ar y papur yn ofalus a rhoi 2 yr un maint at ei gilydd, gyda llwyaid o'r jam rhiwbob rhyngddyn nhw.

Cadwch y *macarons* mewn bocs plastig a chaead arno yn yr oergell am o leiaf 24 awr cyn eu bwyta. Mae'r cam hwn yn gwella'r blas ac yn sicrhau bod y *macarons* yn fwy meddal yn y canol. Gadewch iddyn nhw gyrraedd tymheredd ystafell cyn eu bwyta. Peidiwch â diflasu os nad yw eich *macarons* yn berffaith y tro cyntaf (yn sicr, doedd fy rhai i ddim).

Jam rhiwbob a sinsir

Mae rhiwbob siarp yn gwneud jam hyfryd, ond mae'r sinsir yn ychwanegu cic gynnes. Ar ôl llenwi'r *macarons*, fe fydd gennych ddigonedd dros ben i'w roi ar dost hefyd. Unwaith y bydd y jam wedi'i storio mewn potiau fe fydd yn cadw am flwyddyn a mwy.

1kg o riwbob

1kg o siwgr jam (gyda phectin ynddo)

Croen a sudd 1 lemon

2.5cm o sinsir ffres

2 ddarn o sinsir mewn surop

Digon i wneud tua 4 i 5 jar

Golchwch y coesau rhiwbob a'u torri'n ddarnau 3cm o hyd.

Rhowch y rhiwbob mewn powlen gyda'r siwgr. Ychwanegwch y croen lemon wedi'i gratio yn ogystal â'r sudd, yna gorchuddio'r bowlen a'i gadael dros nos, neu am 2 awr o leiaf.

Yna gratiwch y sinsir ffres i mewn i'r cymysgedd, cyn torri'r sinsir mewn surop yn ddarnau mân a'u hychwanegu nhw hefyd.

Rhowch y cyfan mewn sosban fawr drom ar wres cymedrol nes bod y siwgr wedi toddi. Yna cynyddwch y gwres a berwi'r cyfan am ryw 10 i 15 munud.

Yn y cyfamser, rhowch gwpwl o soseri yn y rhewgell.

Er mwyn gweld a yw'r jam wedi cyrraedd y pwynt setio, rhowch lond llwy de ohono ar un o'r soseri sydd wedi bod yn y rhewgell a'i adael am funud. Yna gwthiwch y jam â'ch bys ac, os yw'n crychu, mae'n barod. Os nad yw'n crychu, parhewch i'w ferwi am ychydig o funudau cyn trio eto.

Pan fydd y jam yn barod, tynnwch y sosban oddi ar y gwres a'i gadael i sefyll am 10 munud yna tywalltwch y jam i mewn i botiau sydd newydd gael eu diheintio. Rhowch gylch o bapur gwrthsaim ar ben y jam a chau'r potiau'n syth.

Mae'n hollbwysig defnyddio potiau glân wedi'u diheintio ar gyfer y jam neu fydd o ddim yn para cystal. Mae'n ddigon hawdd gwneud hyn. Cynheswch y popty i 130°C / Ffan 110°C / Nwy 1. Golchwch y jariau mewn dŵr a sebon a'u rhoi yn y popty i sychu am 20 munud. Mae'n bwysig tywallt jam poeth i mewn i botyn poeth, neu fe all y gwydr dorri.

Florentines

Mae *florentines* yn gymysgedd hyfryd o gnau a ffrwythau sych mewn bisgedi meddal sydd wedi'u gorchuddio â siocled tywyll. Gweinwch nhw gyda choffi ar ôl swper, neu beth am eu gosod mewn bocs del a'u rhoi yn anrheg?

75g o fenyn heb halen

75g o siwgr brown golau

75g o fêl

50g o geirios *glacé* wedi'u torri'n fân

75g o dafellau almon

50g o lygaeron sych (*dried cranberries*)

40g o groen candi cymysg (*mixed peel*)

75g o flawd plaen

150g o siocled tywyll da (70% o soledau coco)

Cynheswch y popty i 180°C / Ffan 160°C / Nwy 4 a leinio 2 dun pobi â phapur gwrthsaim.

Toddwch y menyn, y siwgr a'r mêl mewn sosban.

Rhowch y ceirios, yr almonau, y llygaeron, y croen candi a'r blawd mewn powlen a'u cymysgu. Tywalltwch y cymysgedd o'r sosban dros y cyfan a chymysgu'n dda.

Rhowch lond llwy de o'r cymysgedd ar y tun a'i wasgu i lawr yn fflat. Gwnewch yn siŵr bod digon o le rhwng pob pentwr gan y byddan nhw'n lledu. Gofalwch hefyd nad ydych yn rhoi gormod o gymysgedd ar y tun bob tro – mae'r rhain i fod yn fisgedi bach, del.

Coginiwch am 10–12 munud nes eu bod yn frown euraidd.

Gadewch i'r bisgedi oeri a chaledu ar y tuniau am rai munudau cyn eu rhoi ar rwyll fetel i oeri'n llwyr.

Torrwch y siocled yn ddarnau a'u rhoi mewn powlen wydr dros sosban o ddŵr sy'n mudferwi nes bod y siocled wedi toddi. Gan ddefnyddio *spatula* neu gyllell balet, taenwch y siocled ar ochr fflat y *florentines* a'u rhoi i'r naill ochr i setio.

Maen nhw'n edrych yn foethus iawn. Gallwch amrywio'r cynhwysion yn ôl yr hyn sydd gennych yn y cwpwrdd bwyd.

Bysedd cnau cyll a siocled

Mae'r bisgedi hyn mor ysgafn fel eu bod nhw'n toddi yn y geg. Mae'r cynhwysion yn syml iawn, felly defnyddiwch fenyn da i'w gwneud nhw – fe fyddwch chi'n blasu'r gwahaniaeth. Bydd angen bag peipio gyda thrwyn seren gweddol fawr arnoch i greu'r siâp tlws. Mae'r bysedd yn hyfryd yn blaen ond maen nhw hyd yn oed yn fwy blasus wedi'u trochi mewn siocled a'u hysgeintio â chnau.

175g o fenyn heb halen
60g o siwgr eisin
1 llwy de o rin fanila
150g o flawd plaen
20g o flawd corn
60g o gnau cyll mâl
100g o siocled tywyll da (70% o soledau coco)

Cynheswch y popty i 180°C / Ffan 160°C / Nwy 4 a leinio tun pobi â phapur gwrthsaim.

Cymysgwch y menyn a'r siwgr eisin â chwisg drydan nes bod y cyfan yn olau ac yn ysgafn. Yna ychwanegwch y fanila a chymysgu eto.

Hidlwch y blawd a'r blawd corn i mewn i'r cymysgedd ac ychwanegu 40g o'r cnau cyll mâl. Cymysgwch yn dda â llwy neu *spatula* nes bod y cyfan yn llyfn.

Rhowch drwyn peipio siâp seren yn y bag a'i lenwi â'r cymysgedd. Peipiwch fysedd 6–7cm o hyd ar y papur gwrthsaim, gan sicrhau bod digon o le rhwng pob un.

Coginiwch am 12 munud nes eu bod yn euraidd. Gadewch iddyn nhw oeri yn y tun am 5 munud, yna eu rhoi ar rwyll fetel i oeri'n llwyr.

Pan fydd y bisgedi wedi oeri, toddwch y siocled drwy ei roi mewn powlen dros sosban o ddŵr sy'n mudferwi.

Rhowch un pen i'r fisgeden yn y siocled ac yna'i gosod ar bapur gwrthsaim. Yna ysgeintiwch ychydig o'r cnau cyll mâl sy'n weddill drosti a gadael i'r siocled setio'n llwyr. Gwnewch yr un fath â gweddill y bisgedi.

Malws Melys

Mae yna rywbeth reit neis ynglŷn â malws melys pinc a gwyn rhad o'r siop. Fwy nag unwaith, dwi wedi ffeindio fy hun yn bwyta hanner bag heb feddwl. Sut gallai rhai cartref fod cystal? Wel, does dim cymhariaeth. Mae'r rhai cartref yn llawer ysgafnach ac yn llawn blas fanila melys. Er nad oes angen llawer o gynhwysion, amynedd piau hi gyda'r rhain, gan fod angen lot fawr o chwisgio. Felly, os nad oes gennych chi beiriant cymysgu da fe fydd angen cryn dipyn o fôn braich arnoch.

400g o siwgr mân

350ml o ddŵr

25g o bowdr gelatin

2 wynnwy

2 lwy de o rin fanila

Past lliw pinc

Digon o flawd corn a siwgr eisin i orchuddio'r tun a'r malws melys

Digon i wneud tua 30

Bydd arnoch angen thermomedr siwgr ar gyfer y rysáit hon

Mewn sosban drom, cynheswch y siwgr gyda 200ml o ddŵr nes ei fod yn toddi. Yna berwch yr hylif nes ei fod yn cyrraedd 125°C. Peidiwch â throi'r cymysgedd o gwbl neu fe fydd crisialau siwgr yn ffurfio, ond cadwch lygad arno. Bydd y siwgr yn ofnadwy o boeth ac fe allai losgi.

Yn y cyfamser, mesurwch 150ml o ddŵr cynnes mewn jwg, ychwanegu'r powdr gelatin a chymysgu'n dda.

Pan fydd y siwgr wedi cyrraedd 110°C, rhowch y gwynnwy mewn powlen lân a'i chwisgio â chwisg drydan nes bod pigau meddal yn ffurfio.

Unwaith y bydd y siwgr wedi cyrraedd 125°C, tynnwch y sosban oddi ar y gwres yn syth. Ychwanegwch y gelatin a chymysgu – byddwch yn ofalus achos fe all dasgu.

Parhewch i chwisgio'r gwynnwy â'r chwisg drydan ac, yn araf a gofalus, tywalltwch y siwgr poeth a'r gelatin i mewn iddo. Os nad oes gennych beiriant cymysgu ar stand, efallai y bydd arnoch angen help i dywallt y siwgr.

Ar ôl ychwanegu'r siwgr i gyd, daliwch ati i chwisgio am 10–15 munud arall nes bod y cyfan yn drwchus. Fe fyddwch chi'n meddwl i ddechrau na fydd o byth yn tewychu, ond daliwch ati, fe ddaw.

Pan fydd y cymysgedd yn edrych yn drwchus a gludiog, gallwch ychwanegu'r fanila a'r lliw. Cofiwch, dim ond y mymryn lleiaf o bast lliw sydd ei angen, felly dechreuwch gydag ychydig bach ar flaen ffon goctel. Gallwch wastad ychwanegu mwy os oes angen.

Irwch dun pobi yn ysgafn ag ychydig o olew a'i orchuddio â chymysgedd o flawd corn a siwgr eisin. (Bydd rhyw lwy fwrdd yr un yn ddigon.)

Tywalltwch y malws melys i mewn i'r tun, gan sicrhau bod y cymysgedd yn lledaenu'n hafal. Yna ysgeintiwch y cymysgedd â digonedd o siwgr eisin a blawd corn. Gadewch iddo setio heb ei orchuddio ar dymheredd ystafell am 12 awr.

Tynnwch y malws melys o'r tun trwy redeg cyllell o gwmpas yr ochrau i ddechrau a'i droi ben i waered ar fwrdd torri. Fe ddylai'r malws ddod allan o'r tun yn weddol hawdd, ond defnyddiwch eich dwylo i'w ryddhau os oes angen.

Fe fydd y gwaelod ychydig yn ludiog, felly ysgeintiwch ef â mwy o siwgr eisin yna'i dorri'n sgwariau â thorrwr *pizza*. Rhowch fwy o siwgr eisin mewn powlen a throchi'r darnau ynddo, gan sicrhau bod pob ochr wedi'i gorchuddio.

Rhowch y malws mewn bocs neu bot a chaead arno. O wneud hyn, fe fyddan nhw'n cadw am rai dyddiau.

Siocledi

Mae'r siocledi cartref yma'n hawdd iawn i'w gwneud ac maen nhw'n blasu'n ogoneddus. Mae yna bosibiliadau diddiwedd o ran arbrofi â gwahanol flasau. Dwi wedi gwneud rhai â siocled tywyll a sinsir, a chyda siocled gwyn a phistasio, ond gallwch ychwanegu unrhyw flas i'r rysáit sylfaenol e.e. ffrwythau sych, gwirod neu gnau. Gallwch eu gweini â choffi, neu eu rhoi yn anrheg arbennig.

Siocledi sinsir tywyll

140g o siocled tywyll da (70% o soledau coco)
120ml o hufen dwbl
20g o fêl
20g o fenyn heb halen
30g o sinsir mewn surop
Pinsied o Halen Môn fanila
3 llwy fwrdd o bowdr coco

Torrwch y siocled yn ddarnau mân a'u rhoi mewn powlen.

Cynheswch yr hufen a'r mêl mewn sosban nes bod yr hylif bron â dod i'r berw ac yna'i dywallt dros y siocled. Ychwanegwch y menyn mewn darnau bach a chymysgu'n ofalus nes bod y cyfan yn llyfn.

Torrwch y sinsir yn ddarnau mân a'u hychwanegu at y cymysgedd, yn ogystal â'r halen, a chymysgu'n dda.

Rhowch y cymysgedd mewn powlen neu dwb plastig a chaead arno a'i roi yn yr oergell i setio am $1\frac{1}{2}$ i 2 awr.

Ar ôl i'r siocled setio, tynnwch ef o'r oergell, cymryd llond llwy de ohono a'i rolio yn eich llaw i ffurfio pêl fach. Yna rholiwch y belen mewn powdr coco. Os yw'r siocled yn rhy galed, gadewch iddo feddalu ar dymheredd ystafell am ychydig. Mae hyn yn waith blêr ond dyma'r ffordd orau i greu peli taclus.

Cadwch y siocledi yn yr oergell nes eich bod yn barod i'w bwyta neu eu rhoi yn anrheg. Fe fyddan nhw'n cadw yn yr oergell am 3–5 diwrnod.

Siocledi gwyn â phistasio

300g o siocled gwyn

150ml o hufen dwbl

20g o fenyn heb halen

¼ llwy de o Halen Môn fanila

50g o gnau pistasio

Torrwch y siocled yn ddarnau mân a'u rhoi mewn powlen.

Cynheswch yr hufen mewn sosban nes ei fod bron â dod i'r berw ac yna'i dywallt dros y siocled. Ychwanegwch y menyn mewn darnau bach a chymysgu'n ofalus nes bod y cyfan yn llyfn. Ychwanegwch yr halen a chymysgu'n dda.

Rhowch y cymysgedd mewn powlen neu dwb plastig a chaead arno a'i roi yn yr oergell i setio am 1½ i 2 awr.

Ar ôl i'r siocled setio, malwch y cnau pistasio yn fân gyda chyllell bwrpasol, neu defnyddiwch brosesydd bwyd, a'u rhoi mewn powlen. Cymerwch lond llwy de o'r siocled a'i rolio yn eich llaw i ffurfio pêl fach. Rholiwch y peli yn y pistasio mâl.

Cadwch y siocledi yn yr oergell nes eich bod yn barod i'w bwyta neu eu rhoi yn anrheg. Fe fyddan nhw'n cadw yn yr oergell am 3–5 diwrnod.

Bara a byns

Os ga i ddewis rhwng darn o gacen a bynsen felys, y fynsen fydd yn ennill bob tro. Dwi ddim yn bwyta llawer o fara cyffredin o ddydd i ddydd, ond dwi'n ei chael hi'n amhosib gwrthod bynsen felys a meddal, yn enwedig os yw hi'n llawn siwgr a sbeis.

Ydy, mae gwneud byns a bara yn bwyta amser, ond mewn gwirionedd dydy'r gwaith cymysgu a thylino ddim yn cymryd mor hir â hynny. Y codi a'r profi sy'n cymryd amser a does dim rhaid i chi wneud unrhywbeth bryd hynny, heblaw aros. Felly gallwch gael hoe fach neu fwrw ymlaen â rhywbeth arall tra bod y burum yn gwneud y gwaith caled i gyd.

Mae'r ryseitiau hyn i gyd yn defnyddio toes sydd wedi ei gyfoethogi â llaeth, wyau, menyn a siwgr, ond mae'r dechneg yn dal yn debyg iawn i wneud bara cyffredin. Mae'r holl gynhwysion ychwanegol yma'n gallu golygu bod y toes yn wlypach na'r arfer, ond mae'n bwysig peidio â chael eich temtio i ychwanegu mwy o flawd. Daliwch ati i dylino a phlygu'r toes ac fe fydd yn troi'n llyfn yn y pen draw. Mae'n bwysig defnyddio blawd bara cryf, ond mewn rhai o'r ryseitiau hyn dwi wedi defnyddio blawd sbelt. Mae'n wenith hynafol ac iddo flas ychydig yn fwy melys a chneuog. Mae rhai'n honni ei fod yn well i chi na blawd gwyn cyffredin, gan fod lefel y glwten yn llawer is, felly mae'n dda ar gyfer pobl sy'n cael trafferth bwyta gwenith (ond nid i bobl ag alergedd llwyr i wenith).

Gan nad ydw i'n pobi digon o fara, dydw i ddim yn cadw burum ffres yn y tŷ; yn hytrach, dwi'n defnyddio burum sych sy'n gweithio'n sydyn. Mae'n bosib ei brynu mewn tuniau neu mewn pacedi bychain 7g, sy'n handi iawn os nad ydych yn ei ddefnyddio mor aml â hynny.

Mae rhai o'r ryseitiau hyn wedi dod o Awstria, fel y bara wedi'i blethu a llygod bach Heinz, ac yn perthyn i fy nghyfnod yn gweithio i Heinz ac Anita Schenk yng ngwesty Luginsland. Bûm yn gweithio yn eu gwesty mewn ardal sgio brydferth yn yr Alpau yn Awstria am gyfnod ar ôl gadael coleg. Ynghyd â sgio bob dydd, roedd y bwyd ymhlith yr uchafbwyntiau. Dwi'n ddiolchgar i Heinz am rannu ei ryseitiau a'i wybodaeth helaeth am bobi â mi.

Bara wedi'i blethu

Dros ddeng mlynedd ar ôl fy nghyfnod yn gweithio yn Awstria, mae meddwl am y bara yma'n dal i dynnu dŵr o fy nannedd. Wir i chi, mae'n ogoneddus, y bara gorau i mi ei fwyta erioed. Mae'n ddeniadol, yn felys ac yn feddal – perffaith ar gyfer brecwast arbennig.

85g o fenyn heb halen

300ml o laeth

700g o flawd bara

½ llwy de o halen

14g o furum

55g o siwgr mân

2 lwy de o groen lemon wedi'i gratio

1 llwy fwrdd o siwgr fanila

3 wy ac 1 arall i'w frwsio dros y bara

Toddwch y menyn mewn sosban ac ychwanegu'r llaeth. Cynheswch nes eu bod yn gynnes ond ddim yn boeth (37°C os oes gennych thermomedr).

Rhowch y cynhwysion sych i gyd mewn powlen, gan wneud yn siŵr nad yw'r halen a'r burum yn cyffwrdd. (Mae halen yn gallu lleihau effeithiolrwydd y burum os yw'r 2 yn cyd-gyffwrdd am yn rhy hir.)

Ychwanegwch y llaeth a'r menyn yn ogystal â'r 3 wy a chymysgu'n dda, nes bod yr holl gynhwysion wedi'u cyfuno. Mae'n haws defnyddio peiriant ar gyfer y cam hwn (gan fod y toes yn reit wlyb), ond gallwch wneud hyn â llaw, er y bydd yn golygu mwy o lanast!

Ysgeintiwch fymryn o flawd ar y bwrdd a thylino'r toes, gan ei wthio a'i blygu'n gyson am 10 munud nes ei fod yn llyfn.

Rhowch y toes mewn powlen wedi'i hiro ag ychydig o olew. Gorchuddiwch hi â *cling film* a gadael i'r toes godi am o leiaf awr, nes ei fod wedi dyblu mewn maint.

Pan fydd y toes wedi codi, ysgeintiwch ychydig o flawd ar y bwrdd a rhannu'r toes yn 2–3 darn. Fe fydd yn gwneud 2 dorth fawr neu 3 torth lai.

Rhannwch bob darn yn 3, gan eu rholio i ffurfio 3 sosej hir. Pinsiwch bennau'r 3 darn gyda'i gilydd a'u plethu. Ar ôl plethu'r dorth gyfan, plygwch y darn pen oddi tano fel ei fod yn edrych yn dwt. (Mae'n bosib plethu â 4 neu fwy o ddarnau hefyd, sy'n gwneud torth ddeniadol iawn, ond mae ychydig yn fwy cymhleth.)

Rhowch y torthau ar dun pobi wedi'i leinio â phapur gwrthsaim a gadael iddyn nhw godi am awr arall neu nes eu bod wedi dyblu mewn maint eto.

Cynheswch y popty i 200°C / Ffan 180°C / Nwy 6.

Pan fydd y toes wedi codi, brwsiwch y torthau ag wy a'u coginio am 20 munud, nes eu bod yn euraidd. Gadewch iddyn nhw oeri ar rwyll fetel.

Mae'r torthau'n rhewi'n dda, felly gwnewch un i'w bwyta a rhoi'r gweddill yn y rhewgell. Os ydych am eu rhewi, gadewch iddyn nhw oeri'n llwyr cyn eu lapio mewn papur gwrthsaim a ffoil. Pan fyddwch yn barod i fwyta torth gadewch iddi ddadmer yn llwyr ar dymheredd ystafell. Gallwch hefyd dorri'r bara yn dafellau cyn eu rhewi, fel y gallwch dynnu tafell o'r rhewgell fel y mynnwch a'i thostio yn syth.

Byns siocled a chnau cyll

Dwi'n cofio blasu Nutella, y past siocled a chnau cyll melys, am y tro cyntaf pan oeddwn ar wyliau yn Ffrainc. Dwi'n dal i feddwl bod cnau cyll a siocled yn gyfuniad perffaith, yn enwedig gyda bara. Felly beth am ei roi yn y bara? Mae'r byns yma'n hyfryd ar unrhyw adeg o'r dydd, ond dwi'n credu eu bod nhw'n frecwast perffaith ar benwythnos. Mae'n bosib gadael i'r toes godi dros nos yn yr oergell, wedyn bydd modd eu llenwi a'u rholio yn y bore.

300ml o laeth
55g o fenyn heb halen
600g o flawd sbelt gwyn
1 llwy de o halen
85g o siwgr mân
10g o furum
1 wy

Ar gyfer y llenwad
100g o gnau cyll
200g o siocled tywyll da (70% o soledau coco)
100g o siwgr brown golau
100g o fenyn heb halen

Digon i wneud 12

Cynheswch y llaeth a'r menyn mewn sosban nes bod y menyn wedi toddi a'r llaeth bron â dod i'r berw. Yna gadewch i'r cymysgedd oeri nes ei fod yn llugoer.

Rhowch y blawd mewn powlen fawr ac ychwanegu'r halen a'r siwgr mân i un ochr y bowlen a'r burum i'r ochr arall. Ychwanegwch yr wy, ac yna'r cymysgedd llaeth a menyn. Os oes gennych beiriant gyda bachyn tylino, cymysgwch nes bod y blawd i gyd wedi'i gymysgu, neu gallwch ddefnyddio eich dwylo. Yna ysgeintiwch fymryn o flawd ar y bwrdd a thylino am 5–10 munud nes bod y toes yn llyfn.

Fe fydd y toes yn reit wlyb i ddechrau ond daliwch ati gan geisio peidio ag ychwanegu gormod o flawd.

Rhowch y toes mewn powlen wedi'i hiro'n ysgafn ag olew, ei orchuddio â *cling film* a'i adael i godi nes ei fod wedi dyblu mewn maint. Bydd angen o leiaf awr, ond fe all gymryd yn hirach.

Yn y cyfamser, gwnewch y llenwad. Malwch y cnau cyll a'r siocled mewn prosesydd bwyd. Cymysgwch y menyn a'r siwgr mewn powlen a'u curo'n ysgafn â llwy bren. Ychwanegwch y siocled a'r cnau a chymysgu eto.

Pan fydd y toes wedi codi, ysgeintiwch ychydig o flawd ar y bwrdd. Cnociwch y toes yn fflat â'ch dwrn i gael gwared ar yr aer, a'i rolio nes bod gennych betryal 30cm x 60cm.

Taenwch y cymysgedd siocled a chnau dros y toes, yna ei rolio o'r ochr hiraf.

Torrwch y rholyn yn 12 darn hafal a'u gosod ar dun pobi wedi'i iro â'r ochr wedi'i thorri ar i fyny, gan adael rhywfaint o le rhwng pob un. Gorchuddiwch y byns â *cling film* neu liain sychu llestri a'u gadael i godi am 30 munud i awr arall.

Cynheswch y popty i 190°C / Ffan 170°C / Nwy 5 a choginio'r byns am 20–25 munud, nes eu bod yn dechrau brownio ar y top.

Bwytewch nhw yn gynnes. Os oes gennych rai dros ben, gallwch eu rhewi ar ôl iddyn nhw oeri. Wedyn gadewch iddyn nhw ddadmer ar dymheredd ystafell cyn eu rhoi yn y popty i gynhesu am ychydig funudau. Gellir eu gwneud o flaen llaw, eu rhewi ac yna eu dadmer dros nos, cyn eu cynhesu rywfaint yn y bore.

Llygod bach Heinz

Gebackene Mäuse ydy'r rhain yn Awstria, sef llygod wedi'u pobi, ond llygod wedi'u ffrio ydyn nhw! Maen nhw'n debyg i doesenni neu *doughnuts* ond maen nhw'n llawn rhesin ac wedi'u rholio mewn siwgr sinamon. Mae'r llygod ar eu gorau wedi'u gweini'n gynnes.

50g o fenyn heb halen

140ml o laeth

250g o flawd plaen

2 lwy fwrdd o groen lemon

3 llwy fwrdd o siwgr fanila

7g o furum

2 wy

80g o resin

100g o siwgr mân

1 llwy de o sinamon

Olew llysiau neu olew blodau'r haul i'w ffrio

Digon i wneud tua 10–12

Toddwch y menyn mewn sosban, yna ychwanegu'r llaeth a chynhesu nes eu bod yn gynnes.

Rhowch y blawd, y croen lemon, y siwgr fanila, y burum, yr wyau a'r rhesin mewn powlen ac ychwanegu'r llaeth a'r menyn. Cymysgwch nes bod y cyfan wedi cyfuno. Does dim angen tylino ac fe ddylai'r toes fod yn eithaf gwlyb a gludiog, yn wahanol i does bara neu fyns cyffredin.

Gorchuddiwch y bowlen â *cling film* a gadael i'r toes godi am awr. Yn y cyfamser, cymysgwch y siwgr mân a'r sinamon mewn dysgl a'u rhoi i'r naill ochr.

Pan fydd y toes wedi codi, cynheswch yr olew mewn sosban fawr neu *wok*. Ni ddylai fod yn rhy boeth neu fe fydd y toes yn llosgi cyn iddo goginio yn y canol – bydd sgiwer pren â dŵr arno yn hisian pan fydd yr olew yn ddigon poeth. Cadwch lygad ar yr olew.

Codwch lond llwy bwdin o'r toes i mewn i'r olew. Gallwch ffrio 3–4 ar unwaith, gan eu coginio am 4–5 munud a'u troi drosodd hanner ffordd. Tynnwch y llygod allan pan fyddan nhw'n euraidd, a'u draenio ar bapur cegin, cyn eu rholio yn y siwgr sinamon.

Bara sinamon

Nid bara cyffredin mo hwn ond torth sydd wedi'i gwneud o beli toes bach wedi'u gorchuddio â menyn, siwgr a sinamon. Mae'n fara perffaith i'w rannu, gan eich bod yn gallu rhwygo'r peli i ffwrdd yn eu tro. Mae'r caramel sinamon hyfryd yn treiddio drwy'r dorth, a dwi'n addo na fyddwch chi'n gallu peidio â thorri darn arall ac yna un arall i ffwrdd.

45g o fenyn heb halen
150ml o laeth
150ml o ddŵr
500g o flawd bara cryf
55g o siwgr mân
10g o halen
7g o furum sych
1 wy

Ar gyfer y gorchudd
150g o fenyn heb halen
200g o siwgr mân
3 llwy de o sinamon

Toddwch y menyn mewn sosban ac ychwanegu'r llaeth a'r dŵr. Cynheswch nes eu bod bron â berwi. Yna tynnwch yr hylif oddi ar y gwres a'i adael i oeri rhywfaint. Os ydych yn gallu gadael eich bys ynddo, fe ddylai fod yn iawn, ond gofalwch nad yw'n rhy boeth neu fe fydd yn lladd y burum.

Mewn powlen fawr, cymysgwch y blawd, y siwgr, yr halen a'r burum, gan sicrhau nad yw'r burum a'r halen yn cyffwrdd. Yna ychwanegwch yr wy a'r cymysgedd llaeth, menyn a dŵr a chymysgu nes bod popeth wedi cyfuno.

Ysgeintiwch fymryn o flawd ar y bwrdd a thylino'r toes am 10 munud nes ei fod yn llyfn, neu gallwch ddefnyddio'r bachyn tylino ar y peiriant cymysgu.

Rhowch y toes mewn powlen wedi ei hiro ag olew, a'i orchuddio â *cling film*. Gadewch i'r toes godi am awr.

Ysgeintiwch y bwrdd â blawd. Cnociwch y toes yn fflat, ei rannu'n ddarnau tua 20–30g yr un (rhyw 35–40 darn) a'u rholio i greu peli bach.

I wneud y gorchudd, toddwch y menyn mewn sosban a chymysgu'r siwgr a'r sinamon mewn powlen.

Defnyddiwch ychydig o'r menyn wedi'i doddi i iro tun torth 2 bwys yn dda. Rholiwch y peli yn y menyn, yna yn y cymysgedd siwgr a sinamon, a'u gosod yn y tun torth, gan wneud yn siŵr bod y peli'n gorgyffwrdd.

Gorchuddiwch y tun â *cling film* a gadael i'r toes godi unwaith eto nes i'r dorth ddyblu mewn maint.

Cynheswch y popty i 190°C / Ffan 170°C / Nwy 5.

Coginiwch am 25–30 munud.

Gadewch i'r dorth oeri yn y tun am 5 munud cyn ei rhoi ar rwyll fetel. Peidiwch â'i gadael yn y tun yn rhy hir neu fe fydd y caramel yn caledu ac fe fydd yn amhosib ei chael hi allan yn un darn.

Mae'r dorth yma ar ei gorau ar y diwrnod y caiff ei phobi.

Beugel

Dyma rysáit arall gefais i gan Heinz yn Awstria. Mae'r *beugel* yn wahanol i unrhywbeth dwi wedi'i flasu o'r blaen. Maen nhw'n cael eu gwneud â thoes burum sy'n cael ei rolio a'i lenwi â chnau cyll.

250g o flawd bara cryf
100g o fenyn heb halen
7g o furum
25g o siwgr mân
Pinsied o halen
1 wy
45ml o ddŵr

Ar gyfer y llenwad
300g o gnau cyll
100ml o ddŵr
150g o siwgr mân
1 wy i'w frwsio dros y byns cyn eu coginio

Digon i wneud 12

Rhowch y blawd mewn powlen a thorri'r menyn yn ddarnau bach. Rhwbiwch y menyn i mewn i'r blawd â blaenau eich bysedd nes ei fod yn edrych fel briwsion. Yna ychwanegwch y burum, y siwgr a'r halen a chymysgu'r cyfan.

Ychwanegwch yr wy a'r dŵr a chymysgu eto nes eu bod wedi cyfuno'n llwyr. Yna rhowch y toes ar y bwrdd a'i dylino am ychydig funudau nes ei fod yn reit gadarn. Fe ddylai fod yn llawer mwy stiff na thoes bara arferol a does dim angen ei dylino mor hir chwaith.

Rhowch y toes mewn powlen, ei orchuddio â *cling film* a gadael iddo godi am 30 munud. Torrwch y toes yn 12 o ddarnau hafal a'u rholio'n beli bach. Rhowch y peli ar dun pobi, eu gorchuddio â *cling film* a gadael iddyn nhw godi am 30 munud arall.

Yn y cyfamser, gwnewch y llenwad. Malwch y cnau cyll yn fân mewn prosesydd bwyd a chynhesu'r dŵr a'r siwgr mewn sosban nes bod y siwgr wedi toddi. Tywalltwch y surop siwgr dros y cnau cyll a chymysgu'n dda.

Cynheswch y popty i 190°C / Ffan 170°C / Nwy 5.

Ysgeintiwch y bwrdd â blawd a rholio pob pelen yn siâp hirgrwn fflat â phin rholio.

Rhowch lond llwyaid o'r llenwad yng nghanol pob siâp hirgrwn a brwsio'r ochrau ag wy. Plygwch ochr hir y toes drosodd fel bod 2 ochr y toes yn cwrdd (fel petaech chi'n gwneud pastai). Gwasgwch yr ochrau i lawr â'ch bysedd a rholio'r siapiau toes ychydig fel eu bod nhw'n edrych fel siâp silindr. Plygwch y 2 ben tuag atoch fel bod gennych siâp pedol.

Rhowch y byns ar dun pobi wedi'i leinio â phapur gwrthsaim a'u brwsio ag wy. Coginiwch nhw am 15 munud, nes eu bod yn euraidd.

Rym babas

Mae'n rhaid i mi ddiolch i fy ffrind Matthew am fy nghyflwyno i'r pwdin hwn. Doeddwn i erioed wedi bwyta rym baba, heb sôn am eu gwneud. Ond ar ôl cael fy annog i'w gwneud, dwi wrth fy modd â'r cacennau burum bach hyn, wedi eu socian mewn surop melys llawn rym. Mae'r toes yn cymryd amser i'w baratoi, ond gallwch wneud y cacennau ddiwrnod o flaen llaw a'u rhoi i socian yn y surop cyn eu gweini.

50g o gwrens

50ml o rym tywyll

250g o flawd bara cryf

7g o furum

30g o siwgr mân

Pinsied o halen

80ml o laeth cynnes

3 wy

100g o fenyn heb halen

Ar gyfer y surop

500g o siwgr mân

500ml o ddŵr

1 coden fanila

Croen 1 lemon

Hufen wedi'i chwipio i'w gweini

Digon i wneud 12 rym baba

Rhowch y cwrens a'r rym mewn sosban i gynhesu am funud neu ddwy yna eu rhoi i'r naill ochr.

Mewn powlen fawr cymysgwch y blawd, y burum, y siwgr, yr halen, y llaeth ac 1 wy â llwy nes i'r cyfan gyfuno, neu defnyddiwch beiriant cymysgu.

Ychwanegwch wy arall a chymysgu, yna ychwanegu'r wy olaf a chymysgu'n dda eto.

Gwnewch yn siŵr bod y menyn yn feddal, ac yna torrwch ef yn ddarnau bach a'i ychwanegu at y toes. Tylinwch y cyfan yn y bowlen unai â pheiriant cymysgu neu â'ch dwylo, nes bod y menyn wedi cyfuno'n llwyr a'r cymysgedd yn llyfn. Mae'r cymysgedd yma'n wlyb iawn, felly mae'n haws defnyddio peiriant os oes gennych un.

Draeniwch y cwrens, gan gadw'r rym sydd ar ôl. Ychwanegwch y ffrwythau at y toes a chymysgu'n dda.

Irwch dun myffins dwfn 12 twll â menyn a rhannu'r toes rhwng pob un. Gorchuddiwch nhw â bag plastig neu liain sychu llestri a'u gadael i godi nes bod y toes wedi codi i dop y tyllau.

Cynheswch y popty i 200°C / Ffan 180°C / Nwy 6 a choginio'r babas am 12 munud, nes eu bod wedi codi ac yn euraidd.

Rhowch nhw'n syth ar rwyll fetel i oeri.

Os ydych chi'n eu coginio o flaen llaw, rhowch nhw mewn bocs plastig a chaead arno tan y byddwch yn barod i'w gweini.

Cyn eu gweini, gwnewch y surop drwy gynhesu'r siwgr a'r dŵr mewn sosban nes bod y siwgr wedi toddi. Yna ychwanegwch y goden fanila wedi'i hollti yn ei hanner ar ei hyd, y croen lemon wedi'i dorri'n ddarnau mawr, yn ogystal â'r rym oedd dros ben ar ôl socian y cwrens, a pharhau i ferwi am gwpl o funudau.

Tynnwch y sosban oddi ar y gwres a rhoi'r babas i socian yn y surop am 2–3 munud, gan eu troi drosodd er mwyn sicrhau bod pob ochr yn cael ei throchi yn y surop.

Yna tynnwch nhw o'r surop, eu rhoi ar blât a'u gweini gydag ychydig mwy o'r surop a rhywfaint o hufen wedi'i chwipio.

Amser dathlu

Mae yna gacen i bob achlysur. Weithiau mae angen rhywbeth syml a chyflym i fynd gyda phaned gartref, tra bod te prynhawn mwy ffurfiol yn gofyn am gacennau bach del a delicet. Ac, wrth gwrs, mae dathliad arbennig yn galw am glamp o gacen fawr – rhywbeth ag ychydig o 'waw ffactor' sy'n edrych yn arbennig ar ganol bwrdd ac sy'n mynd i fwydo criw go fawr o bobl hefyd.

Nid dim ond plant sy'n haeddu cacen ben-blwydd; mae oedolion wrth eu boddau'n cael cacen hyfryd, beth bynnag fo'u hoed. Felly dwi'n gobeithio bod yna rywbeth yn y bennod hon i blesio pawb, boed blentyn neu oedolyn a beth bynnag fo'r achlysur.

Os ydych yn chwilio am gacen ar gyfer plentyn, neu bobl fel fi sy'n dal yn blant mawr yn y bôn, yna fe fyddan nhw wrth eu boddau â'r gacen enfys neu'r gacen hufen iâ. Ond mae yna gacennau eraill yma sy'n sicr ar gyfer oedolion yn unig. Mae'r gacen siocled a charamel hallt yn dywyll a chyfoethog ac yn hallt ac yn felys hefyd. Ac mae'r gacen *tiramisu* yn fersiwn enfawr o'r pwdin Eidalaidd enwog, â sbwnj wedi'i socian mewn coffi a brandi a'i orchuddio ag eisin *mascarpone*.

Un peth sy'n sicr, gwnewch un o'r cacennau hyn ar gyfer ffrindiau neu deulu ac fe fyddwch chi'n gwneud clamp o argraff dda.

Cacen enfys

Welwch chi'r un gacen sy'n fwy trawiadol na hon ar y tu fewn. Mae'n edrych yn eithaf diniwed o'r tu allan, ond mae'r eisin menyn gwyn yn cuddio enfys liwgar oddi tano. Ydy, mae hon yn gacen anferth ac mae'n cymryd tipyn o amser i'w gwneud. Ond yn fy marn i mae'n edrych yn anhygoel, yn blasu'n hyfryd ac yn sicr o blesio unrhyw un sy'n ei derbyn. Perffaith ar gyfer achlysur arbennig. Hon oedd y gacen a ddewisais ar gyfer fy mhriodas fy hun.

400g o fenyn heb halen
400g o siwgr mân
6 wy
1 llwy bwdin o rin fanila
400g o flawd codi
Past lliw coch, oren, melyn, gwyrdd, glas a phiws (nawr, dwi'n gwybod mai saith lliw sydd mewn enfys, wrth gwrs, ond dim ond chwech sydd yn y gacen hon)

Cynheswch y popty i 180°C / Ffan 160°C / Nwy 4. Irwch 2 dun crwn 20cm, gan leinio'r gwaelod â phapur gwrthsaim. Bydd arnoch angen coginio 6 chacen ar wahân, felly gwell byth os oes gennych chi 3 thun yr un peth!

Rhowch y menyn mewn powlen a'i guro am funud â chwisg drydan nes ei fod yn llyfn. Yna ychwanegwch y siwgr yn raddol a churo am 5 munud arall nes bod y cyfan yn olau ac yn ysgafn.

Nawr ychwanegwch yr wyau, un ar y tro, gan gymysgu'n drwyadl â'r chwisg drydan rhwng pob un. Mae yna lot o wyau yn y gacen hon, felly os ydych yn poeni bod y cymysgedd yn mynd i geulo ychwanegwch lwy fwrdd o flawd rhwng pob wy.

Ychwanegwch y fanila a chymysgu'n dda. Yna hidlwch y blawd i mewn a chymysgu â llwy neu *spatula*.

Rhannwch y cymysgedd yn hafal rhwng 6 phowlen fach ac ychwanegu ychydig bach o bast lliw gwahanol i bob powlen. Does dim angen llawer ond rydych eisiau digon i greu lliw reit lachar. Cymysgwch yn dda nes bod y lliw wedi'i gyfuno'n llwyr.

Llenwch 2 dun â gwahanol liw ym mhob un (neu 3 os ydych yn defnyddio 3 thun), gan wneud yn siŵr bod y cymysgedd yn llyfn, a'u coginio am 12 munud nes bod y sbwnj yn bownsio'n ôl wrth ei gyffwrdd.

Tynnwch y cacennau o'r tuniau a'u gadael i oeri ar rwyll fetel.

Ar gyfer yr eisin

375g o fenyn heb halen

4 llwy fwrdd o laeth

1 llwy bwdin o rin fanila

750g o siwgr eisin

Ailadroddwch nes eich bod wedi coginio 6 sbwnj.

Er mwyn gwneud yr eisin, cymysgwch y menyn â chwisg drydan am funud neu ddwy, nes ei fod yn feddal. Yna ychwanegwch y llaeth, y fanila a'r siwgr eisin yn raddol.

Cymysgwch yn dda am 4–5 munud.

Pan fo'r cacennau wedi oeri, torrwch y topiau i ffwrdd â chyllell fara fel eu bod nhw'n fwy gwastad.

Rhowch y gacen biws ar blât weini a thaenu haen o eisin ar ei phen.

Rhowch y gacen las ar ben yr un biws, a gwneud yr un peth eto. Ailadroddwch â'r gacen werdd, yr un felen a'r un oren, gan orffen â'r gacen goch. Gwnewch yn siŵr bod yr ochr fwyaf fflat (sef y gwaelod) yn wynebu at i fyny.

Yna rhowch haen denau o eisin ar hyd y top ac i lawr yr ochrau. Fe fydd yr haen yma'n dal y briwsion i gyd ac yn gweithio fel sylfaen i'r haen eisin olaf, felly does dim rhaid iddi fod yn rhy daclus nac yn rhy drwchus.

Rhowch y gacen yn yr oergell am 30 munud er mwyn i'r eisin gael cyfle i galedu.

Ar ôl i'r haen gyntaf o eisin setio, gorchuddiwch y gacen unwaith eto â gweddill yr eisin, gan wneud eich gorau i sicrhau bod yr ochrau a'r top mor llyfn â phosib drwy ddefnyddio cyllell balet.

Wrth gwrs, mae'n amhosib i eisin menyn fod yn hollol lyfn, felly peidiwch â phoeni'n ormodol.

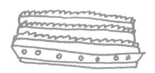
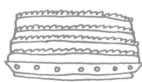
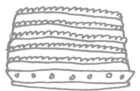
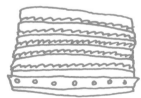

Cacen mafon a siocled gwyn

Mae'r gacen hon yn siŵr o dynnu sylw. A chanddi dair haen, mae'n glamp o gacen ac, yn sicr, dydy hi ddim yn gacen bob dydd. Ond mae hi'n berffaith ar gyfer dathliad arbennig pan fydd digon o bobl i'ch helpu i'w mwynhau. Dwi'n credu bod hon yn gacen ben-blwydd fendigedig ar gyfer oedolyn. Nid yn unig mae hi'n drawiadol, ond hefyd mae'r mafon ffres yn y sbwnj yn torri trwy felystra'r eisin siocled gwyn sy'n gorchuddio'r gacen.

400g o fenyn heb halen
400g o siwgr mân
6 wy
2 lwy de o rin fanila
400g o flawd plaen
Pinsied o halen
3 llwy de o bowdr codi
4 llwy fwrdd o laeth
150g o fafon ffres (ac ychydig yn ychwanegol i addurno)

Cynheswch y popty i 180°C / Ffan 160°C / Nwy 4 ac iro a leinio 3 thun crwn 20cm.

Curwch y menyn a'r siwgr am 5 munud â chwisg drydan nes bod y cyfan yn olau ac yn ysgafn.

Ychwanegwch yr wyau, un ar y tro, gan gymysgu'n dda â'r chwisg drydan rhwng pob un.

Ar ôl ychwanegu 3 wy, fe allwch chi ychwanegu llond llwy fwrdd o'r blawd at y cymysgedd gyda phob wy sy'n weddill er mwyn ei atal rhag ceulo.

Ychwanegwch y fanila a chymysgu'n dda.

Hidlwch y blawd, yr halen a'r powdr codi i mewn i'r cymysgedd a phlygu'n ofalus â llwy neu *spatula*.

Ychwanegwch y llaeth a chymysgu'n llwyr â llwy neu *spatula*.

Stwnsiwch y mafon â fforc, gan adael rhai darnau'n eithaf mawr. Yna cymysgwch nhw i mewn i gymysgedd y gacen yn ofalus. Gofalwch beidio â gorgymysgu.

Rhannwch y cymysgedd yn hafal rhwng y 3 thun a choginio am 40–45 munud, neu nes bod y sbwnj yn euraidd a bod sgiwer a osodir yng nghanol y gacen yn dod allan yn lân.

Ar gyfer yr eisin
400g o siocled gwyn
(ac ychydig yn
ychwanegol i addurno)
375g o fenyn heb halen
675g o siwgr eisin
6 llwy fwrdd o laeth
1½ llwy de o rin fanila

I orffen y gacen
Jam mafon
heb hadau ynddo

Gadewch i'r cacennau oeri yn y tuniau am 5 munud, yna eu rhoi ar rwyll fetel i oeri'n llwyr.

I wneud yr eisin, toddwch y siocled mewn powlen dros sosban o ddŵr sy'n mudferwi ac yna'i rhoi i'r naill ochr i oeri.

Cymysgwch y menyn am funud neu ddwy â chwisg drydan nes ei fod yn feddal. Yna ychwanegwch y siwgr eisin, y llaeth a'r fanila yn raddol.

Cymysgwch yn dda am 4–5 munud.

Ychwanegwch y siocled gwyn wedi toddi a chymysgu'n dda â llwy bren neu *spatula*.

Pan fo'r cacennau wedi oeri, torrwch y topiau i ffwrdd â chyllell fara fel eu bod yn fwy gwastad.

Rhowch un gacen ar y blât weini a thaenu ychydig o jam mafon drosti, yna haen o'r eisin.

Rhowch yr ail gacen am ei phen a gwneud yr un peth eto.

Rhowch y gacen olaf ar y top â'r ochr fwyaf fflat (sef y gwaelod) yn wynebu at i fyny. Yna rhowch haen denau o eisin ar hyd y top ac i lawr yr ochrau i gyd. Fe fydd yr haen yma'n dal y briwsion i gyd ac yn gweithio fel sylfaen i'r haen olaf o eisin, felly does dim rhaid iddi fod yn rhy daclus.

Rhowch y gacen yn yr oergell am 30 munud er mwyn i'r eisin gael cyfle i galedu.

Ar ôl i'r haen gyntaf o eisin setio, gorchuddiwch y gacen unwaith eto â gweddill yr eisin, gan wneud eich gorau i sicrhau bod yr ochrau a'r top mor llyfn â phosib drwy ddefnyddio cyllell balet.

Wrth gwrs, mae'n amhosib i eisin menyn fod yn hollol lyfn, felly peidiwch â phoeni'n ormodol.

Addurnwch dop y gacen â mafon ffres ac ychydig o siocled gwyn wedi'i gratio.

Cacen cnau coco a granadilla

Mae ffrwythau'r wlad hon yn hyfryd, ond weithiau dwi'n hoffi rhywbeth mwy ecsotig. Mae'r gacen hon yn cyfuno sbwnj llawn cnau coco, eisin caws *mascarpone* siarp a cheuled *granadilla* melys a phersawrus. Mae fel darn bach o heulwen, hyd yn oed pan mae'n glawio tu allan.

200g o fenyn heb halen
300g o siwgr mân
4 wy
300g o flawd codi
125ml o laeth
100g o gnau coco sych (*dessicated coconut*)

Ar gyfer yr eisin
500g o gaws *mascarpone*
3 llwy fwrdd o siwgr eisin

I orffen y gacen
4 llwy fwrdd o geuled *granadilla* (*passion fruit*)

Mae'n gallu bod yn anodd prynu ceuled *granadilla* ond mae'n ddigon hawdd ei wneud gyda'r rysáit ar dudalen 102

Cynheswch y popty i 180°C / Ffan 160°C / Nwy 4 ac iro a leinio 2 dun pobi crwn 20cm.

Cymysgwch y menyn a'r siwgr â chwisg drydan am 5 munud nes eu bod yn olau ac yn ysgafn.

Ychwanegwch yr wyau, un ar y tro, gan gymysgu'n llwyr â'r chwisg rhwng pob un.

Ychwanegwch hanner y blawd a'i blygu i mewn yn ofalus â llwy neu *spatula*. Yna ychwanegwch hanner y llaeth a'i gymysgu. Ailadroddwch â gweddill y blawd a'r llaeth.

Cymysgwch y cnau coco i mewn i'r cymysgedd yn ofalus â llwy.

Rhannwch y cymysgedd yn hafal rhwng y 2 dun, a'u pobi ar yr un silff yn y popty am 40 munud, nes eu bod yn euraidd a bod sgiwer a osodir yng nghanol y gacen yn dod allan yn lân.

Gadewch y cacennau yn y tuniau am ychydig, yna eu rhoi ar rwyll fetel i oeri'n llwyr.

Pan fo'r cacennau wedi oeri'n llwyr, gwnewch yr eisin drwy guro'r caws *mascarpone* gyda'r siwgr eisin nes eu bod yn llyfn. Rhowch un o'r cacennau ar blât weini. Yna rhowch hanner yr eisin *mascarpone* ar ei phen a thaenu 2 lwy fwrdd o geuled *granadilla* dros yr eisin.

Rhowch yr ail gacen ar ei phen a thaenu gweddill yr eisin ar y top. Rhowch fwy o'r ceuled *granadilla* ar y gacen a thynnu sgiwer neu gyllell drwy'r ceuled i greu patrwm deniadol.

Ceuled granadilla

Dim ond unwaith dwi wedi gweld ceuled *granadilla* mewn siop, a hynny mewn siop fferm yng nghanol nunlle. Dyna wnaeth fy ysbrydoli i wneud y gacen cnau coco a *granadilla* ar dudalen 100. Ond o wybod nad oedd yn hawdd i'w ganfod fe benderfynais wneud peth fy hun. Does dim rhaid ei gadw ar gyfer cacennau – mae'n dda ar dafell o fara ffres hefyd.

5 *granadilla* (*passion fruit*) aeddfed

60g o siwgr mân

2 felynwy

1 wy

50g o fenyn

Rhowch gnawd a hadau'r *granadilla* mewn gogr a gwthio'r sudd a'r cnawd drwodd â llwy nes bod dim byd yn weddill ond yr hadau.

Rhowch bowlen dros sosban o ddŵr sy'n mudferwi ac ychwanegu sudd a chnawd y ffrwythau, y siwgr a'r wyau. Cymysgwch yn gyson â llwy bren ac unwaith y bydd y siwgr wedi toddi, ychwanegwch y menyn.

Parhewch i gymysgu drwy'r amser nes ei fod wedi tewychu. Mae'n bwysig dal ati i gymysgu neu fe all yr wyau sgramblo. Fe fydd yn cymryd ychydig o ~~amser i dewychu~~ ond fe ddaw gydag amynedd.

Unwaith y bydd yn ddigon trwchus, tywalltwch y ceuled i mewn i botyn jam wedi'i ddiheintio (gweler tudalen 69). Fe fydd yna ddigon ar gyfer un potyn bach.

Cacen siocled a charamel hallt

Mae pawb yn hoffi cacen siocled (dwi ddim yn eich coelio os ydych chi'n gwadu hynny) ac mae hon yn anhygoel. Roeddwn i wedi bwriadu eisio'r gacen yma i gyd, ond yn y diwedd fe benderfynais y byddai'n edrych yn well yn noeth. Yna gallwch weld y cyferbyniad rhwng y gacen dywyll, yr eisin menyn golau y tu fewn a'r caramel euraidd yn diferu allan.

150g o siocled tywyll da (70% o soledau coco)
200g o fenyn heb halen
500g o siwgr mân
4 wy
1 llwy de o rin fanila
450g o flawd codi
3 llwy fwrdd o bowdr coco
½ llwy de o halen
1 llwy de o soda pobi
165g o hufen sur

Cynheswch y popty i 180°C / Ffan 160°C / Nwy 4 ac iro a leinio 3 thun crwn 20cm.

Torrwch y siocled yn ddarnau bach a'u toddi mewn powlen dros sosban o ddŵr sy'n mudferwi. Wedi iddyn nhw doddi, tynnwch y sosban oddi ar y gwres a'i gadael i oeri.

Yn y cyfamser, curwch y menyn a'r siwgr â chwisg drydan am 5 munud nes eu bod yn olau ac yn ysgafn.

Ychwanegwch yr wyau, un ar y tro, gan gymysgu'n dda â'r chwisg drydan rhwng pob un.

Ychwanegwch y fanila a chymysgu'n dda.

Hidlwch y blawd, y powdr coco, yr halen a'r soda pobi i'r cymysgedd a'u plygu i mewn yn ofalus â llwy neu *spatula*.

Ychwanegwch y siocled wedi toddi a chymysgu'n dda â llwy. Yna ychwanegwch yr hufen sur a'i gyfuno'n llwyr.

Rhannwch rhwng y 3 thun a'u coginio am 35–40 munud neu nes bod sgiwer a osodir yng nghanol y gacen yn dod allan yn lân.

Gadewch i'r cacennau oeri yn y tuniau am rai munudau, yna eu rhoi ar rwyll fetel i oeri'n llwyr.

Ar gyfer yr eisin

340g o fenyn heb halen

450g o siwgr eisin

½ llwy de o rin fanila

3 llwy fwrdd o saws caramel hallt (gweler y rysáit ar dudalen 106)

I orffen y gacen

3 llwy fwrdd o saws caramel hallt

Pinsied o halen

Gwnewch yr eisin drwy guro'r menyn a hanner y siwgr eisin â chwisg drydan. Yna ychwanegwch weddill y siwgr eisin, y fanila a'r saws caramel hallt a churo am 3–4 munud nes bod yr eisin yn ysgafn.

Rhowch un o'r cacennau ar blât a thaenu traean o'r eisin ar ei phen. Yna tywalltwch ychydig o saws caramel hallt ar ben yr eisin. Rhowch yr ail gacen ar ben y gyntaf a gwneud yr un peth eto.

Rhowch y drydedd gacen ar y top gyda haen o eisin drosti, gan wneud yn siŵr eich bod yn cadw ychydig yn weddill i addurno. Ar ôl gorffen eisio'r gacen uchaf, rhowch yr eisin sy'n weddill mewn bag (â thrwyn seren) a pheipio sêr bach ar y gacen orffenedig.

Tywalltwch ychydig mwy o'r saws caramel hallt ar y gacen uchaf, gan wneud yn siŵr bod rhywfaint yn diferu i lawr yr ochrau. Ysgeintiwch ychydig bach o halen ar y gacen.

Saws caramel hallt

Bydd angen y saws hwn arnoch ar gyfer y gacen siocled a charamel hallt (gweler y rysáit ar dudalen 104). Mae'r rysáit yn gwneud mwy o saws nag y bydd arnoch ei angen, ond wnewch chi mo'i wastraffu. Dwi'n hoffi ei wneud â Halen Môn fanila, gan fod hwnnw'n ychwanegu blas fanila. Fe fydd unrhyw halen môr yn gwneud y tro, serch hynny, ond peidiwch â defnyddio halen bwrdd cyffredin.

150g o siwgr mân

50g o surop euraidd

75g o fenyn heb halen

175ml o hufen dwbl

½ llwy de o rin fanila

2 lwy de o Halen Môn fanila neu halen môr cyffredin

Digon i wneud 1 potyn bach

Mesurwch y cynhwysion i gyd cyn dechrau, gan fod yn rhaid gweithio'n sydyn wrth wneud y caramel.

Rhowch y siwgr, y surop a'r menyn mewn sosban a'u cynhesu ar wres cymedrol nes i'r cynhwysion doddi. Yna parhewch i ferwi'r cyfan am 3–4 munud arall nes bod yr hylif yn troi'n lliw caramel euraidd.

Tynnwch y sosban oddi ar y gwres ac ychwanegu'r hufen, y fanila a'r halen. Byddwch yn ofalus achos fe all y saws ymateb yn reit ffyrnig a thasgu.

Cymysgwch y cyfan a rhoi'r sosban yn ôl ar y gwres am funud, nes bod y saws yn hollol lyfn.

Rhowch y saws mewn potyn jam wedi'i ddiheintio (gweler tudalen 69), a gadael iddo oeri. Fe fydd yn cadw yn yr oergell am rai dyddiau. Mae'n hyfryd wedi'i weini ar ben hufen iâ ac mewn cacennau eraill, neu gallwch ei fwyta yn syth o'r potyn â llwy fel dwi'n ei wneud.

Cacen tiramisu

Ydych chi'n mwynhau *tiramisu*? Fe fyddwch chi wrth eich bodd â'r gacen hon felly. Mae'n cyfuno holl flasau clasurol *tiramisu* – siocled, coffi, alcohol a chaws *mascarpone* melys – a hynny mewn un gacen fawr. Mae'r tair haen yn rhoi tipyn o 'waw ffactor' iddi, ond y blas sy'n gwneud y gacen hon yn arbennig.

300g o fenyn heb halen

350g o siwgr mân

5 wy

350g o flawd plaen

3 llwy de o bowdr codi

3 llwy fwrdd o laeth

2 lwy de o rin fanila

Ar gyfer yr eisin

750g o gaws *mascarpone*

3 llwy fwrdd o siwgr eisin

1 llwy de o rin fanila

I orffen y gacen

3 llwy fwrdd o goffi cryf a melys

3 llwy fwrdd o frandi

50g o siocled tywyll da (70% o soledau coco)

Cynheswch y popty i 180°C / Ffan 160°C / Nwy 4. Irwch 3 thun crwn 20cm a leinio gwaelod pob un â phapur gwrthsaim.

Rhowch y menyn mewn powlen a'i guro am funud â chwisg drydan, nes ei fod yn llyfn. Ychwanegwch y siwgr yn raddol a churo am 5 munud nes bod y cyfan yn olau ac yn ysgafn.

Nawr ychwanegwch yr wyau, un ar y tro, gan gymysgu'n drwyadl â'r chwisg drydan rhwng pob un. Os ydych yn poeni bod y cymysgedd yn mynd i geulo, ychwanegwch lwy fwrdd o'r blawd rhwng pob wy.

Hidlwch y blawd a'r powdr codi i mewn a chymysgu â llwy neu *spatula*. Yna ychwanegwch y llaeth a'r fanila a'u cyfuno'n llwyr.

Rhannwch y cymysgedd rhwng y 3 thun a'u coginio am 25–30 munud, nes bod y sbwnj yn euraidd a sgiwer a osodir yng nghanol y gacen yn dod allan yn lân.

Gadewch i'r cacennau oeri yn y tuniau am ychydig, yna eu rhoi ar rwyll fetel.

Pan fydd y cacennau wedi oeri, gwnewch yr eisin drwy guro'r caws *mascarpone*, y siwgr eisin a'r fanila nes eu bod yn llyfn.

Cymysgwch y coffi a'r brandi gyda'i gilydd. Gratiwch y siocled a'i roi i'r naill ochr.

Os nad yw'r cacennau yn edrych yn wastad, torrwch y topiau i ffwrdd â chyllell fara. Yna brwsiwch bob un â'r coffi a'r brandi.

Rhowch un o'r cacennau ar y blât weini a thaenu haen o eisin drosti yn ogystal â thraean y siocled wedi'i gratio.

Rhowch yr ail gacen ar ei phen a gwneud yr un peth eto. Rhowch y drydedd gacen ar y top a gorchuddio'r gacen gyfan â haen denau o eisin. Fe fydd yr haen yma'n dal y briwsion i gyd ac yn gweithio fel sylfaen i'r haen olaf o eisin, felly does dim rhaid iddi fod yn rhy daclus nac yn rhy drwchus.

Rhowch y gacen yn yr oergell am 30 munud i roi cyfle i'r eisin galedu.

Ar ôl i'r haen gyntaf o eisin setio, gorchuddiwch y gacen unwaith eto â gweddill yr eisin, gan wneud eich gorau i sicrhau bod yr ochrau a'r top mor llyfn â phosib drwy ddefnyddio cyllell balet. Gorffennwch drwy ysgeintio gweddill y siocled wedi'i gratio ar y top.

Cacen hufen iâ fanila, siocled a chnau mwnci

Roeddwn i wastad yn mwynhau mynd i bartïon pen-blwydd fy nghyfnitherod pan oedden ni'n fach, gan nad oedden nhw'n cael cacen sbwnj arferol ond, yn hytrach, cacen hufen iâ o siop Mr Creamy yn y Rhondda. Roedd hi'n greadigaeth hollol ddieithr i ferch fach o Ddolgellau, ond roedd hi'n flasus tu hwnt. Mae'r gacen hon wedi ei hysbrydoli gan y cacennau hynny, ond dwi wedi addasu'r cynhwysion ar gyfer fy chwaeth i heddiw.

Ar gyfer y sbwnj

2 wy

55g o siwgr mân

½ llwy de o rin fanila

50g o flawd codi

20g o bowdr coco

Ar gyfer y pralin

100g o siwgr mân

100g o gnau mwnci
(peanuts)

1 llwy de o Halen Môn fanila neu halen môr cyffredin

Dechreuwch drwy wneud y sbwnj. Cynheswch y popty i 180°C / Ffan 160°C / Nwy 4 ac iro a leinio gwaelod tun crwn 23cm sy'n agor â sbring ar yr ochr.

Chwisgiwch yr wyau, y siwgr a'r fanila â chwisg drydan am 5 munud, nes bod y cymysgedd yn drwchus ac yn olau.

Hidlwch y blawd a'r coco a'u plygu i mewn i'r cymysgedd â llwy fetel.

Tywalltwch y cyfan i mewn i'r tun a'i goginio am 12 munud, nes bod y sbwnj yn bownsio'n ôl wrth ei gyffwrdd.

Tynnwch y sbwnj o'r tun a gadael iddo oeri ar rwyll fetel.

Nesaf, gwnewch y pralin drwy gynhesu'r siwgr mân a'r cnau mwnci yn araf mewn sosban drom. Fe fydd yn cymryd amser i doddi ond cadwch lygad arno, rhag ofn i'r cnau losgi. Pan fydd y siwgr wedi toddi'n llwyr a'r caramel yn lliw euraidd, ychwanegwch yr halen a rhoi'r cymysgedd ar dun pobi sydd wedi'i iro'n ysgafn ag olew. Byddwch yn ofalus – fe fydd y caramel yn boeth iawn.

Gadewch i'r pralin oeri'n llwyr, yna ei falu'n ddarnau mân drwy ei roi mewn bag plastig a'i daro â phin rholio.

Ar gyfer y saws
100g o fenyn cnau mwnci (*peanut butter*)
100g o surop euraidd

I orffen y gacen
1 litr o hufen iâ siocled
1 litr o hufen iâ fanila

Nesaf, gwnewch y saws cnau mwnci drwy doddi'r menyn cnau mwnci a'r surop euraidd gyda'i gilydd mewn sosban nes eu bod yn llyfn. Rhowch i'r naill ochr i oeri.

Cyn dechrau adeiladu'r gacen, tynnwch yr hufen iâ siocled o'r rhewgell a gadael iddo feddalu digon i chi allu ei daenu'n hawdd.

Leiniwch waelod ac ochrau y tun crwn 23cm eto â phapur gwrthsaim a rhoi'r sbwnj yn ôl yn y gwaelod.

Taenwch yr hufen iâ siocled ar ben y sbwnj, gan wneud yn siŵr ei fod wedi'i wasgu i mewn i'r ymylon heb adael bylchau. Yna rhowch y tun yn y rhewgell nes bod yr hufen iâ'n galed.

Nesaf, tynnwch yr hufen iâ fanila o'r rhewgell a'i adael i ddadmer nes ei fod yn ddigon meddal i chi allu ei daenu'n hawdd.

Yn y cyfamser, tynnwch y gacen o'r rhewgell a thywallt y saws cnau mwnci ar ei phen. Rhowch hi'n ôl yn y rhewgell nes bod yr hufen iâ fanila wedi meddalu digon. Bryd hynny, taenwch yr hufen iâ fanila dros y gacen ac yna ei rhoi yn ôl yn y rhewgell i galedu'n llwyr.

Pan fyddwch yn barod i'w gweini, tynnwch y gacen o'r rhewgell. Yna tynnwch hi o'r tun a thynnu'r papur gwrthsaim i ffwrdd. Rhowch hi ar blât weini ac ysgeintio'r pralin drosti. Gadewch iddi feddalu rhywfaint cyn ei thorri.

Achlysuron arbennig

Does dim angen rheswm nac achlysur arbennig ar rywun fel fi i estyn am fy ffedog a dechrau pobi – dwi'n mwynhau potsian yn y gegin bob cyfle ga i. Ond mae'r gwyliau a'r dathliadau niferus sydd gennym yn y wlad hon yn sicr yn rhoi esgus i chi wneud rhywbeth arbennig, rhywbeth ychydig yn wahanol i'r hyn y byddech chi fel arfer yn ei wneud efallai, neu hyd yn oed roi cynnig ar hen ffefryn sydd ddim ond yn cael ei goginio unwaith y flwyddyn.

I ni Gymry mae'r dathliadau'n dechrau gyda Diwrnod Santes Dwynwen ar Ionawr y 25ain, ac mae gen i fisgedi perffaith ar gyfer yr achlysur. Toc wedyn daw Dydd Mawrth Ynyd, a dim ond un peth sydd amdani ar y diwrnod hwnnw, a llond bol o grempog yw hynny. Does yna ddim byd yn bod ar grempog draddodiadol â digon o siwgr a lemon, ond mae'r rysáit ar gyfer *topfenpalatschinken* yn cynnig pwdin crempog gwahanol ar gyfer y diwrnod pan fyddwn ni'n dathlu'r bwyd melys hyfryd hwn.

Boed chi'n ymatal rhag bwyta danteithion melys dros y Grawys neu beidio, mae'r Pasg yn rhoi cyfle i loddesta ar fyns y Grog – rysáit arall na ddylid ei chyfyngu i un adeg o'r flwyddyn yn unig.

Yn bersonol dwi ddim yn un sy'n dathlu Calan Gaeaf, ond os ydych chi a'r plant yn cerfio pwmpen ar gyfer yr achlysur, yna mae'r rysáit cacennau bach pwmpen yn ffordd flasus iawn o ddefnyddio'r cnawd fyddai'n cael ei wastraffu fel arall.

Does yna'r un achlysur sy'n fwy arbennig na'r Nadolig, ac mae'n esgus perffaith i dreulio dyddiau'n pobi a choginio. Wrth gwrs, dwi'n gwneud y gacen a'r mins peis traddodiadol, ond gyda digon o amser i chwarae yn y gegin, mae'n gyfle i drio rhywbeth newydd hefyd. Mae'r gacen gaws Nadoligaidd yn ddelfrydol i'r rhai ohonoch, fel fi, sydd ddim yn hoffi pwdin Nadolig, neu i unrhyw un sydd yn ffansi rhywbeth ychydig bach yn ysgafnach dros yr ŵyl. Ac i goroni popeth, beth am drio'r goron fara wedi'i stwffio â blasau'r Nadolig?

Bisgedi Santes Dwynwen

Rydyn ni'n lwcus iawn fel cenedl bod gennym ein nawddsant cariadon ein hunain. Mae Diwrnod Santes Dwynwen yn teimlo'n llawer mwy diffuant a llai masnachol na Dydd San Ffolant. Dydy siopau blodau ddim yn dyblu eu prisiau a does dim rhaid rhannu bwyty â chant a mil o gyplau eraill sy'n trio bod yn rhamantus ar yr un pryd. Fe fydd y bisgedi fanila hyn yn anrheg berffaith. Addurnwch nhw â neges gariadus neu batrwm del.

125g o fenyn heb halen, oer
225g o flawd plaen
100g o siwgr mân
Pinsied o halen
1 wy
1 llwy de o rin fanila

Ar gyfer yr eisin
1 gwynnwy
½ llwy de o sudd lemon
200g o siwgr eisin
Past lliw o'ch dewis chi

Rhwbiwch y menyn i mewn i'r blawd â blaenau eich bysedd nes bod y cyfan yn edrych fel briwsion. Ychwanegwch y siwgr a'r halen a chymysgu.

Ychwanegwch yr wy a'r fanila a chymysgu â llwy. Yna tylinwch y toes â'ch dwylo am ychydig funudau nes ei fod yn ffurfio pêl lyfn.

Lapiwch y toes mewn *cling film* a'i roi yn yr oergell am 30 munud.

Pan fydd y toes wedi cael cyfle i orffwys, cynheswch y popty i 180°C / Ffan 160°C / Nwy 4 a leinio 2 dun pobi â phapur gwrthsaim.

Ysgeintiwch ychydig o flawd ar y bwrdd. Rholiwch y toes nes ei fod yn 3mm o drwch a defnyddio torrwr siâp calon i dorri'r bisgedi.

Rhowch y calonnau ar y tun pobi a'u coginio am 8–10 munud, nes eu bod nhw'n dechrau troi'n euraidd.

Gadewch iddyn nhw oeri'n llwyr ar rwyll fetel.

Er mwyn gwneud yr haen gyntaf o eisin sy'n gorchuddio'r bisgedi, chwisgiwch y gwynnwy â chwisg drydan nes ei fod yn ewynnog. Ychwanegwch y sudd lemon a chymysgu.

Yna ychwanegwch y siwgr eisin yn raddol, a chwisgio nes ei fod yn weddol drwchus. Mae angen i'r eisin fod yn ddigon trwchus fel nad yw'n rhedeg, ond eto'n ddigon tenau i'w beipio.

Os oes arnoch eisiau lliwio'r eisin, ychwanegwch ychydig bach o bast lliw (dwi'n defnyddio ffon goctel i gael jyst digon), a chymysgu'n dda. Ond cofiwch gadw ychydig o'r eisin gwyn dros ben i addurno'r bisgedi.

Rhowch drwyn eisio â thwll bach crwn ynddo mewn bag eisio a llenwi'r bag â'r eisin lliw. Peipiwch o gwmpas ochr y fisgeden i ddechrau cyn llenwi'r canol â'r un eisin.

Gadewch i'r eisin lliw sychu ac yna addurno â'r eisin gwyn. Gallwch dynnu llun neu ysgrifennu neges fer gariadus hyd yn oed.

Gadewch i'r eisin galedu cyn bwyta'r bisgedi.

Crempogau

Dwi'n bwyta crempog bob adeg o'r flwyddyn: crempogau trwchus Americanaidd i frecwast ar benwythnos a *Kaiserschmarrn* o Awstria i bwdin – rysáit sydd yn fy llyfr cyntaf, *Paned a Chacen*. Ond ar Ddydd Mawrth Ynyd, dim ond ein crempogau mawr, tenau ni'r Cymry wnaiff y tro. Dwi'n eu hoffi'n syml, ac yn eu llenwi â menyn, siwgr a lemon. Yna bydda i'n eu rholio a'u sglaffio'n sydyn. Os ydy un grempogen yn ddigon, yna rydych chi'n well person o lawer na fi!

100g o flawd plaen

Pinsied o halen

1 llwy de o groen lemon wedi'i gratio

2 wy

250ml o laeth

25g o fenyn wedi toddi

Digon i wneud tua 10 crempogen

Hidlwch y blawd i mewn i bowlen ac ychwanegu'r halen a'r croen lemon. Cymysgwch yr wyau mewn cwpan. Gwnewch bant yng nghanol y blawd a thywallt yr wyau i mewn.

Yn raddol, ychwanegwch y llaeth gan gymysgu â chwisg law. Cymysgwch yn araf o'r canol gan dynnu'r blawd i mewn o'r ochrau yn raddol. Dylai hyn sicrhau na fydd lympiau yn y cymysgedd.

Ar ôl ychwanegu'r llaeth i gyd, rhowch y cytew yn yr oergell i orffwys am 30 munud.

Pan fyddwch chi'n barod i goginio'r crempogau, toddwch y menyn mewn padell ffrio. Ychwanegwch 2 lond llwy fwrdd ohono i'r cytew a chymysgu'n dda.

Tywalltwch weddill y menyn o'r badell a'i roi i'r naill ochr. Defnyddiwch bapur cegin i amsugno'r menyn sydd dros ben yn y badell. Dydych chi ddim eisiau boddi'r crempogau.

Yna, â'r gwres yn uchel, rhowch ddigon o gytew yn y badell i orchuddio'r gwaelod, gan droi'r badell yn eich llaw i wneud yn siŵr bod y cytew yn ei gorchuddio'n hafal. Gofalwch beidio â rhoi gormod o gytew yn y badell – fe ddylai'r crempogau fod yn eithaf tenau.

Ar ôl rhyw funud neu ddwy fe ddylech weld swigod bach yn codi ar y grempog. Trowch y grempog drosodd a'i choginio am funud neu ddwy arall. Coginiwch weddill y crempogau yn yr un modd. Does dim angen ail-iro'r badell rhwng pob crempog, ond dwi'n tueddu i rwbio'r hen bapur cegin sydd â menyn arno dros y badell bob rhyw 3 crempogen.

Cymysgwch groen lemon
wedi'i gratio â'r un faint
o siwgr mân ac fe fydd
yn cadw mewn potyn a chaead
arno am rai wythnosau.

Topfenpalatschinken

Os oes arnoch awydd gwneud rhywbeth gwahanol gyda'ch crempogau, beth am drio'r pwdin traddodiadol hwn o Awstria? Mae'r crempogau'n cael eu llenwi â chymysgedd melys o gaws Quark, lemon a rhesin ac yna eu pobi mewn cwstard. Os ydych chi'n chwilio am esgus i ddefnyddio'r holl fraster a'r siwgr yn y tŷ cyn y Grawys, yna dyma'r rysáit berffaith i chi. Mae'r Awstriaid yn hoff iawn o'u crempogau ac yn bwyta'r pwdin hwn i ginio a hyd yn oed yn gwneud cawl blasus â chrempog ynddo. Felly mwynhewch grempogau drwy gydol y flwyddyn!

Ar gyfer y llenwad

40g o resin

1 llwy fwrdd o frandi

250g o gaws Quark (gallwch ddefnyddio caws *mascarpone* neu gaws meddal fel Philadelphia yn ei le)

1 wy

1 llwy fwrdd o groen lemon wedi'i gratio

3 llwy fwrdd o siwgr fanila

Ar gyfer y cwstard

125ml o laeth

1 wy

1 llwy fwrdd o siwgr

6–8 crempogen (gweler y rysáit ar dudalen 116)

Cynheswch y popty i 180°C / Ffan 160°C / Nwy 4. Irwch ddysgl rhyw 25cm o hyd, sy'n addas i'r popty, â menyn.

Rhowch y rhesin i socian yn y brandi.

Gwnewch y crempogau a'u rhoi i'r naill ochr tra eich bod yn gwneud y llenwad.

Rhowch y Quark, yr wy, y croen lemon a'r siwgr mewn powlen a'u cymysgu â llwy bren neu chwisg law. Ychwanegwch y rhesin ac unrhyw frandi sydd ar ôl a chymysgu.

Mewn powlen arall, paratowch y cwstard drwy gymysgu'r llaeth, yr wy a'r siwgr a'u cyfuno'n dda â chwisg.

Taenwch ychydig o'r cymysgedd Quark ar un o'r crempogau, ei rholio a'i gosod yn y ddysgl. Ailadroddwch â gweddill y crempogau a'r llenwad nes bod y ddysgl yn llawn.

Tywalltwch y cwstard dros y crempogau a'u coginio am 15–20 munud, nes bod y cwstard yn barod a'r top wedi brownio.

Bwytewch yn gynnes.

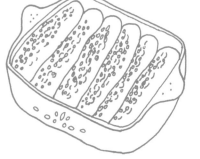

Byns y Grog

Yn draddodiadol mae'r byns sbeislyd a melys hyn, sy'n llawn ffrwythau sych, yn cael eu bwyta ar Ddydd Gwener y Groglith. Fe'u gwelir yn y siopau yn llawer cynt, ond dwi'n un o'r bobl hynny sy'n aros tan y Pasg, bwyta llwyth ohonyn nhw ac wedyn addo eu pobi drwy gydol y flwyddyn. Wrth gwrs, anaml iawn y bydda i'n cadw at fy addewid. Yn wahanol i fyns arferol, dwi'n defnyddio blawd sbelt ac yn ychwanegu darnau o afal i'w gwneud nhw hyd yn oed yn fwy blasus.

85g o fenyn
250ml o laeth
2 lwy de o sbeis cymysg
1 llwy de o gardamom mâl
5 clof
½ bonyn sinamon
500g o flawd sbelt
80g o siwgr
1 llwy de o halen
10g o furum sych
Croen 1 oren wedi'i gratio
1 wy
200g o ffrwythau sych cymysg
1 afal wedi'i blicio a'i dorri'n ddarnau mân

Toddwch y menyn mewn sosban, ychwanegu'r llaeth a'r holl sbeisys a chynhesu'r cyfan nes bod yr hylif yn dod i'r berw. Yna rhowch i'r naill ochr i oeri rhywfaint.

Rhowch y blawd, y siwgr, yr halen a'r burum mewn powlen (gan ofalu nad yw'r halen a'r burum yn cyffwrdd ar hyn o bryd) ac ychwanegu'r croen oren wedi'i gratio.

Ychwanegwch yr wy a'r llaeth cynnes (gan ofalu tynnu'r clofs a'r bonyn sinamon allan yn gyntaf) a chymysgu nes bod popeth wedi cyfuno – dwi'n defnyddio peiriant i wneud hyn, ond gallwch ddefnyddio'ch dwylo hefyd.

Ysgeintiwch fymryn o flawd ar y bwrdd a thylino'r toes am 10 munud nes ei fod yn llyfn.

Rhowch y toes mewn powlen sydd wedi'i hiro'n ysgafn ag olew a'i orchuddio â *cling film*. Gadewch i'r toes godi am awr neu nes ei fod wedi dyblu mewn maint.

Ar ôl iddo godi, ysgeintiwch ychydig o flawd ar y bwrdd unwaith eto. Rhowch y toes ar y bwrdd, ei wasgu i lawr ac ychwanegu'r ffrwythau sych a'r afal wedi'i dorri ato. Lapiwch y toes o gwmpas y ffrwythau, yna'i dylino nes bod y ffrwythau wedi eu gwasgaru'n hafal drwy'r toes.

Rhannwch y toes yn 12 darn a'u rholio'n beli.

Rhowch y peli ar dun pobi wedi'i leinio â phapur gwrthsaim. Gadewch ychydig o le rhwng pob un. Gorchuddiwch nhw â lliain sychu llestri sych a'u gadael i godi am awr arall.

I orffen y byns

3 llwy fwrdd o flawd
i wneud y groes

6 llwy fwrdd o ddŵr
ac 1 llwy fwrdd
ychwanegol pan fydd
angen cynhesu'r jam

3 llwy fwrdd o jam bricyll

Digon i wneud 12 bynsen

Pan fyddwch yn barod i'w coginio, cynheswch y popty i 200°C / Ffan 180°C / Nwy 6.

Cyn coginio'r byns, gwnewch y past ar gyfer y groes drwy gymysgu 3 llwy fwrdd o flawd gyda 6 llwy fwrdd o ddŵr. Rhowch y past mewn bag peipio, torri twll bychan yn y gwaelod a pheipio croesau ar yr holl fyns.

Coginiwch am 20 munud nes eu bod yn euraidd.

Ar ôl tynnu'r byns o'r popty, cynheswch y jam bricyll mewn sosban gyda llwy fwrdd o ddŵr nes ei fod wedi toddi. Brwsiwch y byns â'r jam nes eu bod yn sgleinio.

Rhowch nhw ar rwyll fetel i oeri'n llwyr.

Mae'r rhain yn rhewi'n dda, felly rhowch unrhyw fyns sydd dros ben mewn bagiau unigol, yna gallwch dynnu un allan ar y tro a'i chynhesu yn y popty.

Cacennau bach Calan Gaeaf

Mae'r cacennau hyn yn llawn sbeisys gaeafol, a chydag eisin caws ar eu pennau dydyn nhw ddim yn orfelys. I'r dim ar gyfer yr oedolion pan fo'r plant yn stwffio eu hunain â da-das. Maen nhw'n ffordd dda o ddefnyddio'r pwmpen sy'n weddill ar ôl y dathlu. Neu beth am brynu pwmpen am geiniog a dimai'r diwrnod canlynol pan mae pentyrrau ar gael yn rhad yn y siopau?

250g o bwmpen wedi'i gratio

Croen 1 oren wedi'i gratio

200g o flawd plaen

1 llwy de o bowdr codi

170g o siwgr brown golau

½ llwy de o sinamon mâl

½ llwy de o sinsir mâl

¼ llwy de o nytmeg mâl

¼ llwy de o bupur Jamaica (*allspice*)

130ml o olew had rêp (*rapeseed*)

2 wy

Ar gyfer yr eisin

100g o fenyn

300g o gaws meddal braster llawn

90g o siwgr eisin

½ llwy de o sinamon mâl

Digon i wneud 24 o gacennau bach

Cynheswch y popty i 180°C / Ffan 160°C / Nwy 4 a llenwi 2 dun myffins â chesys myffin.

Rhowch y bwmpen wedi'i gratio mewn powlen. Ychwanegwch y croen oren wedi'i gratio, y blawd, y powdr codi, y siwgr a'r holl sbeisys a chymysgu'n dda.

Mewn powlen arall neu jwg, cymysgwch yr olew a'r wyau a'u hychwanegu at y cynhwysion sych.

Cymysgwch yn dda â llwy bren a llenwi'r cesys nes eu bod yn ⅔ llawn.

Coginiwch am 30 munud, neu nes eu bod yn dechrau brownio ar y top, ac yna'u rhoi ar rwyll fetel i oeri'n llwyr.

Er mwyn gwneud yr eisin, chwisgiwch y menyn â chwisg drydan nes ei fod yn feddal. Ychwanegwch y caws, y siwgr eisin a'r sinamon a churo am funud arall.

Pan fydd y cacennau wedi oeri'n llwyr, defnyddiwch gyllell balet i'w haddurno â'r eisin.

Cacen gaws Nadoligaidd

Fel unrhyw bwdin Nadoligaidd gwerth chweil, mae'r gacen gaws hon yn llawn ffrwythau sych ac alcohol. Ond yn wahanol iawn i bwdin Nadolig arferol, dydy hi ddim yn drwm, felly mae'n berffaith ar ôl cinio mawr. A chan fod angen amser iddi oeri, mae'n well ei choginio'r diwrnod cynt. Felly ar y diwrnod ei hun, pan fydd hi fel ffair arnoch, yr unig beth y bydd angen ei wneud fydd ei gweini.

70g o resin	Y noson cyn gwneud y gacen gaws, rhowch y rhesin a'r ceirios i socian yn y brandi dros nos.
50g o geirios sych	
3 llwy fwrdd o frandi	Pan fyddwch yn barod i wneud y gacen, cynheswch y popty i 150°C / Ffan 130°C / Nwy 2.
150g o fisgedi Digestive	Malwch y bisgedi'n fân mewn prosesydd bwyd, neu rhowch nhw mewn bag plastig a'u curo â phin rholio.
50g o fenyn	
600g o gaws meddal braster llawn	Toddwch y menyn mewn sosban, ychwanegu'r briwsion bisgedi a chymysgu'n dda.
150g o siwgr mân	Gwasgwch y bisgedi i mewn i waelod tun crwn 23cm sy'n agor â sbring ar yr ochr, a'i roi yn yr oergell tra eich bod chi'n gwneud gweddill y gacen.
3 wy	
1 melynwy	Rhowch y caws a'r siwgr mewn powlen a'u curo â chwisg drydan nes eu bod yn llyfn. Ychwanegwch yr wyau a'r melynwy un ar y tro, gan guro'n drwyadl rhwng pob un.
Hadau o 1 coden fanila	
¼ llwy de o sbeis cymysg	Torrwch y goden fanila ar ei hyd a chrafu'r hadau o'r canol â chyllell. Ychwanegwch nhw at y cymysgedd caws ac yna ychwanegu'r sbeis cymysg, croen yr orennau bach wedi'i gratio, y blawd corn a'r hufen sur a chymysgu â chwisg drydan nes bod y cyfan yn llyfn.
Croen 2 oren bach wedi'i gratio	
3 llwy fwrdd o flawd corn	
200ml o hufen sur	Ychwanegwch y rhesin a'r ceirios sydd wedi bod yn socian, gan gynnwys unrhyw frandi sy'n weddill, a'u plygu i mewn i'r cymysgedd yn ofalus.

Tynnwch y tun o'r oergell a thywallt y cymysgedd caws dros y bisgedi.

Coginiwch am awr. Yna diffoddwch y gwres a gadael y gacen gaws yn y popty nes iddi oeri. Rhowch hi yn yr oergell am ychydig oriau cyn ei gweini.

Coron Nadolig

Dyma'r bara perffaith i'w weini dros y Nadolig. Mae'r toes cyfoethog yn llawn blasau'r Nadolig – past almon (neu farsipán) a ffrwythau sych. Rydych chi'n siŵr o blesio eich gwesteion drwy gynnig tafell o hwn gyda phaned o de, ond dwi wrth fy modd yn ei fwyta i frecwast hefyd. Mae hynny fymryn yn ddrwg, efallai, ond pwy sy'n cyfri caloriau dros y Nadolig?

45g o fenyn heb halen
125ml o laeth
250g o flawd bara cryf
5g o halen
40g o siwgr fanila
7g o furum sych
1 wy

Ar gyfer y llenwad
100g o almonau mâl
100g o siwgr eisin
1 gwynnwy
80g o resin
60g o geirios *glacé*
20g o dafellau almon

I orffen y goron
1 llwy fwrdd o jam bricyll
1 llwy de o ddŵr

Toddwch y menyn mewn sosban ac ychwanegu'r llaeth. Cynheswch nes eu bod yn gynnes ond ddim yn boeth.

Rhowch y blawd mewn powlen fawr ac ychwanegu'r halen a'r siwgr ar un ochr y bowlen a'r burum yr ochr arall. Ychwanegwch yr wy, ac yna'r cymysgedd llaeth a menyn cynnes. Os oes gennych beiriant â bachyn tylino, cymysgwch nes bod y cyfan wedi'i gyfuno'n llwyr, neu defnyddiwch eich dwylo i gyfuno'r cyfan yn y bowlen.

Yna ysgeintiwch fymryn o flawd ar y bwrdd a thylino'r toes am 5–10 munud nes ei fod yn llyfn.

Fe fydd y toes yn reit wlyb i ddechrau ond daliwch ati, gan geisio peidio ag ychwanegu gormod o flawd.

Rhowch y toes mewn powlen wedi'i hiro'n ysgafn ag olew, ei orchuddio â *cling film* a'i adael i godi nes ei fod wedi dyblu mewn maint. Bydd hyn yn cymryd o leiaf awr, ond fe allai fod yn hirach.

Tra mae'r toes yn codi, gallwch wneud y llenwad. Rhowch yr almonau mâl a'r siwgr eisin mewn powlen gyda'r gwynnwy a chymysgu nes bod gennych bast llyfn.

Pan fo'r toes wedi codi, ysgeintiwch ychydig o flawd ar y bwrdd a rholio'r toes nes ei fod tua 35cm x 25cm. Taenwch y past almon (neu'r marsipán parod) drosto ac ysgeintio'r rhesin a'r ceirios ar y top.

Gyda'r ochr hiraf agosaf atoch chi, rholiwch y toes yn dynn fel *swiss roll*. Unwch y 2 ben i greu siâp coron gron – defnyddiwch ychydig o ddŵr i lynu'r ochrau os oes angen. Ysgeintiwch y tafellau almon dros y goron. Yna rhowch hi ar dun pobi wedi'i leinio â phapur gwrthsaim a gadael iddi godi am awr arall.

Cynheswch y popty i 200°C / Ffan 180°C / Nwy 6 a choginio'r goron am 20 munud nes ei bod yn euraidd.

Cynheswch y jam bricyll mewn sosban gyda llond llwy de o ddŵr nes ei fod wedi toddi ac yna'i frwsio dros y goron. Rhowch hi i oeri ar rwyll fetel.

Dwi'n gwneud fy mhast almon fy hun ar gyfer y rysáit hon - mae'n ddigon hawdd ac yn blasu'n llawer gwell. Ond os ydych yn brin o amser, defnyddiwch farsipán parod (tua 150g - 200g ohono).

Pepperkaker

Mae'r bisgedi Nadoligaidd hyn o Sgandinafia yn llawn sbeisys a phupur, sy'n rhoi cic gynnes iddyn nhw. Fe gefais i set o dorwyr bisgedi hyfryd gan ffrind o Sweden yn arbennig i wneud y bisgedi, ond gallwch ddefnyddio unrhyw siapiau – yn sêr, calonnau neu gylchoedd. Gwnewch ddigonedd i'w cadw yn y tŷ dros gyfnod y Nadolig neu hyd yn oed i'w rhoi'n anrhegion.

125g o fenyn heb halen
150g o siwgr mân
2 lwy fwrdd o driog
2 lwy fwrdd o surop euraidd
1 wy
400g o flawd plaen
2 lwy de o soda pobi
2 lwy de o sinsir
1 llwy de o sinamon
¼ llwy de o glofs mâl
½ llwy de o bupur du
½ llwy de o halen

Cynheswch y menyn, y siwgr, y triog a'r surop mewn sosban, nes eu bod wedi toddi.

Gadewch i'r cymysgedd oeri rhywfaint. Yna ychwanegwch yr wy a chymysgu'r cyfan.

Mewn powlen arall, cymysgwch y blawd, y soda pobi, y sbeisys, y pupur a'r halen, yna eu hidlo dros y menyn a'r siwgr.

Cymysgwch nes bod y cymysgedd yn ffurfio toes gweddol stiff. Ffurfiwch bêl ohono, ei lapio mewn papur gwrthsaim a'i roi yn yr oergell dros nos.

Tynnwch y toes o'r oergell rhyw 15 munud cyn y byddwch yn barod i'w ddefnyddio a chynhesu'r popty i 170°C / Ffan 150°C / Nwy 3.

Rhannwch y toes yn 2 ddarn. Yna ysgeintiwch ychydig o flawd ar y bwrdd a rholio un o'r darnau toes nes ei fod mor denau â phosib er mwyn cael bisgedi cras.

Torrwch siapiau o'r toes â thorrwr bisgedi Nadoligaidd a'u gosod ar dun pobi wedi'i leinio â phapur gwrthsaim. Bydd angen ichi ddefnyddio cyllell balet i'w codi oddi ar y bwrdd, gan eu bod mor denau.

Ailroliwch unrhyw does sy'n weddill a thorri mwy o fisgedi nes eich bod wedi defnyddio'r 2 ddarn o does i gyd.

Coginiwch y bisgedi am 8–10 munud ac yna eu gadael i oeri ar rwyll fetel.

Fe fyddan nhw'n cadw am wythnosau
mewn bocs a chaead arno.

Sawrus

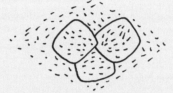

Er mai pethau melys sydd fel arfer yn mynd â fy mryd, dwi'n defnyddio'r popty i bobi bwydydd sawrus ar adegau hefyd! A go brin y byddai unrhyw lyfr pobi yn gyflawn heb bennod yn llawn pasteiod, tartenni a danteithion sawrus eraill.

Mae'n anorfod bod llawer o'r ryseitiau hyn yn defnyddio toes, gan y gellir ei ddefnyddio i wneud cynifer o bethau gwahanol. Wrth wneud tarten felys dwi'n ychwanegu siwgr ac wyau i'w gyfoethogi, ond os ydych yn hepgor y pethau hynny mae gennych grwst perffaith i ddal unrhyw beth, o gig i gaws a llysiau.

Mae'r ryseitiau hyn yn defnyddio nifer o fathau o does, pob un yn addas ar gyfer llenwad gwahanol. Mae yna grwst brau sy'n berffaith ar gyfer tartenni a pheis; crwst pwff, sy'n angenrheidiol ar gyfer pasteiod a rholiau selsig; a *filo*, sy'n rhoi crensh hyfryd i dartenni delicet.

Crwst brau yw'r toes hawsaf a chyflymaf i'w wneud. Does dim ond angen rhwbio'r braster oer i mewn i'r blawd a'r halen, yna ychwanegu digon o ddŵr i gyfuno'r cyfan. Ar ôl tylino'r toes am funud neu ddwy nes ei fod yn llyfn gallwch ei roi i orffwys yn yr oergell am 30 munud. Erbyn y byddwch chi wedi gwneud y llenwad fe fydd y toes yn barod i'w rolio. Dwi'n hoffi defnyddio hanner menyn a hanner lard wrth wneud crwst brau sawrus. Dyna, yn fy marn i, sy'n creu'r crwst perffaith o ran blas ac ansawdd.

Efallai eich bod chi'n meddwl ei bod hi'n ormod o drafferth gwneud eich crwst pwff eich hun, ond mae'r rysáit dwi'n ei defnyddio ar gyfer y rholiau selsig a'r pasteiod caws a nionyn picl yn ddigon hawdd. Mae'r rholio a'r plygu ychydig yn fwy llafurus nag wrth wneud crwst brau, ond mae'n werth yr ymdrech er mwyn creu'r haenau tenau o does sy'n gwneud crwst pwff perffaith. Mae yna bleser mawr mewn bwyta pasteiod cartref â chrwst euraidd yn gynnes o'r popty. Maen nhw'n hollol wahanol i'r hyn gewch chi mewn siopau. Ond, wrth gwrs, os ydych chi'n brin o amser yna, da chi, defnyddiwch grwst pwff o'r siop.

Mae yna un toes nad ydw i'n trafferthu ei wneud a thoes *filo* ydy hwnnw. Mae angen rholio'r toes hwn yn ofnadwy o denau i gael yr haenau tryloyw sy'n crasu'n grimp wrth eu coginio. Mae honno'n job dwi'n fwy na hapus i'w gadael i gogyddion proffesiynol â cheginau llawer mwy na fy nghegin i.

Dydy'r gair 'sawrus' ddim yn cyfeirio at basteiod a thartenni'n unig, wrth gwrs. Efallai fod cacennau sawrus yn swnio'n od, ond dwi'n addo bod myffins wedi'u gwneud â chaws a chig moch yn lle siwgr a ffrwythau yn flasus dros ben. Felly yn y bennod hon mae yna rywbeth ar gyfer pob achlysur: tartenni mawr i'w rhannu â theulu neu ffrindiau, rholiau selsig sy'n berffaith ar gyfer parti, pasteiod unigol ar gyfer picnic, bisgedi i fynd gyda caws a hyd yn oed myffins sawrus i frecwast.

Tarten asbaragws ac eog

Mae tymor asbaragws Prydeinig yn fyr, felly dwi wastad yn gwneud y mwyaf o'r llysieuyn hyfryd hwn o'r funud y mae ar gael yn y siopau. A pha ffordd well o'i ddefnyddio na chydag eog wedi'i fygu yn y darten hafaidd hon? Mae'r darten yn ddelfrydol wedi'i gweini gyda salad ar gyfer cinio yn yr ardd.

Ar gyfer y toes
75g o fenyn heb halen, oer
75g o lard oer
250g o flawd plaen
½ llwy de o halen
75ml o ddŵr oer

Ar gyfer y llenwad
200g o asbaragws
100g o eog wedi'i fygu
5 sibwn (*shallots*) wedi'u torri'n fân
1 llwy fwrdd o *capers*
200ml o hufen dwbl
2 wy
Halen a phupur

Gwnewch y toes i ddechrau drwy dorri'r menyn a'r lard yn ddarnau bach a'u rhoi mewn powlen gyda'r blawd a'r halen.

Rhwbiwch y menyn a'r lard i mewn i'r blawd gyda'ch dwylo nes bod y cyfan yn edrych fel briwsion.

Yna gwnewch bant yng nghanol y briwsion, ychwanegu ¾ y dŵr a chymysgu â llwy neu gyllell nes bod y cyfan yn dod at ei gilydd. Ychwanegwch fwy o ddŵr os oes angen. Tylinwch y toes am funud nes ei fod yn llyfn.

Lapiwch y toes mewn *cling film* a'i roi i orffwys yn yr oergell am 30 munud.

Cynheswch y popty i 200°C / Ffan 180°C / Nwy 6.

Ysgeintiwch ychydig o flawd ar y bwrdd a rholio'r toes nes ei fod yn 3mm o drwch ac ychydig yn fwy na maint y tun. Gosodwch y toes yn y tun a'i wasgu i mewn i'r ochrau yn ofalus. Gallwch gael gwared ar unrhyw does sy'n weddill drwy rolio'r pin rholio dros y tun. Prociwch waelod y toes â fforc.

Rhowch ddarn o bapur gwrthsaim ar ben y toes a'i lenwi â ffa pobi. Coginiwch am 20 munud. Yna tynnwch y ffa allan a dychwelyd y darten i'r popty am 5 munud arall nes bod lliw euraidd i'r crwst.

Rhowch i oeri ar rwyll fetel. Trowch wres y popty i lawr i 190°C / Ffan 170°C / Nwy 5.

Torrwch tua 8cm oddi ar dopiau'r asbaragws. Torrwch weddill yr asbaragws yn ddarnau tua 3cm o hyd a'u rhoi mewn sosban o ddŵr berwedig am 2–3 munud, gan ychwanegu'r topiau am y munud olaf.

Golchwch y darnau asbaragws mewn dŵr oer a'u sychu cyn eu rhoi yn y darten, gan gadw'r topiau i un ochr.

Torrwch yr eog wedi'i fygu yn ddarnau tua 3cm o faint a'u hychwanegu at yr asbaragws.

Rhowch y sibwns mewn padell ffrio gydag ychydig o olew a'u coginio nes eu bod yn feddal. Rhowch nhw mewn powlen gyda'r *capers* wedi'u torri'n fân, yr hufen, yr wyau a'r halen a phupur a'u cymysgu yn dda.

Tywalltwch y cymysgedd dros yr asbaragws a'r eog yn y darten, yna rhowch dopiau'r asbaragws yn ddel ar y top.

Coginiwch am 25–30 munud nes bod y cyfan wedi setio.

Tartenni bach caws ffeta a sbigoglys

Dyma fy fersiwn i o *spanakopita* – pastai Roegaidd draddodiadol sydd wedi'i gwneud o haenau o does *filo* cras ac wedi'i llenwi â chymysgedd o ffeta a sbigoglys (*spinach*). Yn draddodiadol mae'n cael ei gweini fel un darten fawr, ond dwi'n hoffi gwneud tartenni bach unigol mewn tun myffins.

400g o sbigoglys

1 llwy fwrdd o olew olewydd i goginio ac ychydig yn ychwanegol i'w frwsio ar y toes

1 nionyn wedi'i dorri'n fân

2 glof o arlleg wedi'u malu'n fân

50g o gnau pin

200g o gaws ffeta

¼ llwy de o nytmeg

2 wy

Pupur a halen

1 paced o does *filo* (cofiwch weithio'n gyflym rhag iddo sychu)

Digon i wneud 12 tarten fach

Cynheswch y popty i 195°C / Ffan 175°C / Nwy 6.

Rhowch y sbigoglys mewn sosban fawr a'i gynhesu dros dymheredd isel nes ei fod yn gwywo. Gadewch iddo oeri. Gwasgwch y dŵr allan ohono â'ch dwylo a'i roi mewn powlen.

Rhowch lond llwyaid o olew mewn padell ffrio, ychwanegu'r nionyn a'r garlleg a'u coginio nes eu bod yn feddal. Ychwanegwch nhw at y sbigoglys.

Tostiwch y cnau pin mewn padell ffrio heb unrhyw olew, nes eu bod yn dechrau brownio. Byddwch yn ofalus oherwydd fe allen nhw losgi yn sydyn.

Ychwanegwch y cnau pin wedi'u tostio at y llysiau, ynghyd â'r ffeta wedi'i falu'n fân, y nytmeg a'r wyau. Cymysgwch yn dda gan ychwanegu pupur a halen fel y dymunwch.

Torrwch y toes *filo* yn sgwariau tua 10cm x 10cm ac iro tun myffins ag olew. Rhowch 3 haen o *filo* ym mhob twll fel bod yr haenau yn gorchuddio'r gwaelod ac i fyny'r ochrau, gan frwsio pob sgwâr yn ysgafn ag ychydig o olew olewydd i ddechrau.

Llenwch y cesys *filo* â llwyaid o'r cymysgedd sbigoglys a ffeta. Yna brwsiwch 2 haen arall o *filo* ag olew a'u rhoi, wedi eu gwasgu, ar ben y llenwad.

Coginiwch am 20 munud. Yna tynnwch y tartenni o'r tun, eu gosod ar dun pobi a'u coginio am 5 munud arall. Bwytewch nhw yn gynnes neu'n oer.

Rholiau selsig

Dyma'r peth cyntaf fydda i'n ei roi ar fy mhlât mewn picnic neu barti. Dwi'n hoff o'u gwneud gyda selsig gwahanol, fel rhai *chorizo* neu win coch. I ychwanegu blas arall, dwi'n rhoi haen o siytni rhwng y selsig a'r toes. Mae gwneud crwst pwff yn haws nag y byddech yn ei ddychmygu.

250g o fenyn oer

250g o flawd plaen

1 llwy de o halen

150ml o ddŵr oer

2 lwy fwrdd o siytni

6 selsigen
(y gorau sydd ar
gael i chi)

1 wy

Digon i wneud 12 rhôl
sosej fach neu 6
o rai mwy

Torrwch y menyn yn ddarnau bach a'u rhoi mewn powlen gyda'r blawd a'r halen.

Rhwbiwch y menyn i mewn i'r blawd yn ysgafn â'ch dwylo, gan gadw'r menyn yn lympiau gweddol fawr. Yn wahanol i does arferol, dydych chi ddim eisiau rhwbio'r menyn nes ei fod yn edrych fel briwsion mân.

Yna gwnewch bant yn y canol ac ychwanegu ¾ y dŵr. Cymysgwch â llwy neu gyllell nes bod y cyfan yn dod at ei gilydd. Ychwanegwch fwy o ddŵr os oes angen. Gwnewch yn siŵr nad ydych yn tylino'r toes – fe ddylai fod yn reit lympiog.

Ysgeintiwch ychydig o flawd ar y bwrdd a siapio'r toes i ffurfio petryal. Nawr rholiwch y toes o'ch blaen i un cyfeiriad fel bod gennych un darn hir tua 30cm x 15cm (1).

Plygwch draean y toes i lawr ar ei ben ei hun (2), yna plygwch y traean gwaelod i fyny dros y traean cyntaf, fel petaech chi'n plygu llythyr (3).

Trowch y toes 90° a'i rolio unwaith eto mewn un cyfeiriad nes ei fod deirgwaith cyn hired (4). Ailadroddwch y plygu. Lapiwch y toes mewn *cling film* a'i roi yn yr oergell am 30 munud. Ar ôl iddo oeri digon, rholiwch a phlygu'r toes ddwywaith eto. Fe fyddwch wedi rholio a phlygu 4 gwaith erbyn y diwedd. Rhowch y toes yn ôl yn yr oergell am 30 munud arall.

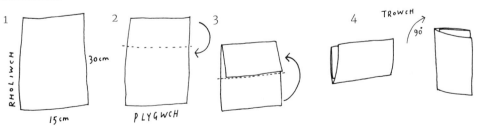

Cynheswch y popty i 200°C / Ffan 180°C / Nwy 6 a leinio tun pobi â phapur gwrthsaim.

Ysgeintiwch ychydig o flawd ar y bwrdd a rholio'r toes nes ei fod yn 60cm o hyd. Torrwch o amgylch yr ochrau â chyllell fel bod gennych ochrau syth. Torrwch y toes yn ei hanner fel bod gennych 2 ddarn 30cm. Taenwch y siytni ar hyd canol y 2 ddarn o does. Tynnwch y selsig o'u crwyn a'u gosod ar ben y siytni.

Cymysgwch yr wy â fforc a brwsio ychydig o'r wy ar hyd un o ochrau hir y 2 ddarn o does.

Lapiwch y toes o amgylch y selsig gan wasgu'r ochr i wneud yn siŵr ei fod yn glynu. Gwnewch yr un fath â'r ail ddarn. Torrwch y 2 rolyn hir yn 6 darn hafal, fel bod gennych 12 darn i gyd. Gwnewch 4 toriad bach ar dop pob un â chyllell finiog a'u brwsio nhw gydag wy.

Rhowch nhw ar y tun pobi a'u coginio am 25–30 munud nes bod y crwst yn frown euraidd. Rhowch nhw i oeri ar rwyll fetel am ychydig cyn eu bwyta.

Mae'r rhain yn rhewi'n dda. Gadewch iddyn nhw oeri'n llwyr, eu lapio mewn papur gwrthsaim a ffoil ac yna'u rhoi yn y rhewgell.

Pasteiod caws a nionyn picl

Mae gen i gyfrinach. Dwi'n reit hoff o bastai caws a nionyn rad o'r siop. Ond ar ôl gwneud rhai cartref fy hun, dwi'n amau a fyddaf yn mynd i'r siop fyth eto. Y peth allweddol yw defnyddio caws â blas reit gryf. Mae caws Cheddar aeddfed yn ddewis da, ond caws o'r enw Lincolnshire Poacher y gwnaeth fy siop gaws leol ei argymell i mi: mae'n hanner ffordd rhwng Gouda a Cheddar. Trwy siarad â pherchennog y siop y ces i'r syniad o drio nionyn picl i dorri ar flas cryf y caws.

1 taten ganolig

50g o nionod picl

150g o gaws wedi'i gratio

1 paced o grwst pwff sydd wedi'i rolio'n barod (neu gwnewch eich crwst pwff eich hun gan ddilyn y rysáit ar dudalen 136)

1 wy

Digon i wneud 4 pastai

Cynheswch y popty i 200°C / Ffan 180°C / Nwy 6 a leinio tun pobi â phapur gwrthsaim.

Pliciwch y daten a'i thorri'n sgwariau reit fach. Torrwch y nionod picl yn ddarnau mân.

Gratiwch y caws a chymysgu'r darnau tatws, y nionod picl a'r caws gyda'i gilydd mewn powlen.

Ysgeintiwch ychydig o flawd ar y bwrdd a rholio'r toes yn fflat. Torrwch ef yn 8 petryal hafal eu maint.

Rhowch lond llwy o'r cymysgedd ar 4 o'r darnau toes. Gwnewch yn siŵr eich bod yn gadael rhyw 0.5cm o le o gwmpas yr ochr, ond gallwch wneud pentwr go dda o'r cymysgedd gan y bydd y caws yn toddi wrth iddo goginio.

Cymysgwch yr wy â fforc a brwsio ychydig ohono ar hyd ochrau un o'r darnau toes. Yna gosodwch sgwâr arall o does ar ei ben.

Gwasgwch yr ochrau i lawr â fforc a gwneud 4 toriad yn y top â chyllell finiog.

Ailadroddwch â gweddill y pasteiod ac yna'u brwsio gydag wy.

Coginiwch nhw am 40 munud neu nes bod y toes yn euraidd.

Rhowch y pasteiod i oeri rhywfaint ar rwyll fetel cyn eu bwyta.